Dépôt légal : 4e trimestre 2006
ISBN : 0-9780797-3-6
Bibliothèque et Archives Canada
Bibliothèque et Archives nationales du Québec

Centre québécois de lutte aux dépendances
105, rue Normand
Montréal (Québec) Canada H2Y 2K6
Téléphone : (514) 389-6336
Télécopie : (514) 389-1830

Courriel : info@cqld.ca
Site Web : www.cqld.ca

Imprimé au Québec (Canada)

DROGUES
SAVOIR PLUS
RISQUER MOINS™

LE LIVRE D'INFORMATION

LE CENTRE QUÉBÉCOIS DE LUTTE AUX DÉPENDANCES

Le Centre québécois de lutte aux dépendances (CQLD) est un organisme sans but lucratif. Son champ d'action couvre l'ensemble des dépendances qui affectent le bien-être de la population : alcool, drogue illicite, médicament, tabac, jeu problématique, cyberdépendance, etc.

Le CQLD s'est donné comme mission de soutenir la lutte aux dépendances en participant au développement et au transfert des connaissances dans ce domaine. Pour réaliser cette mission, il encourage le partage d'expertise, la concertation entre les acteurs concernés et la sensibilisation des organisations et de la population face aux enjeux soulevés par les dépendances. Il veut également, par ses publications, assurer l'accès à une information juste et actuelle pour le grand public et l'ensemble des intervenants du domaine.

MEMBRES DU CONSEIL D'ADMINISTRATION

NOTE AU LECTEUR

Les termes techniques et scientifiques de cet ouvrage sont suivis d'un astérisque (*) et leurs définitions se retrouvent dans le lexique de la page 185.

TABLE DES MATIÈRES

AVANT-PROPOS **6**

PRÉFACE **8**

UNE SOCIÉTÉ SANS DROGUE, ÇA N'EXISTE PAS **10**

Pourquoi est-il nécessaire d'informer ? 10

Pourquoi un livre sur les drogues ? 12

USAGE RÉCRÉATIF, ABUS ET DÉPENDANCE **14**

Les substances et les différents comportements 14

Qu'est-ce que l'usage récréatif ? 16

Qu'est-ce que l'abus ? 17

Signes extérieurs de l'abus ou de l'usage abusif. 18

La dépendance, ça commence quand ? 19

La dépendance psychologique 20

La dépendance physique 20

La polyconsommation : multiplication des produits et des dangers 22

MIEUX CONNAÎTRE LES SUBSTANCES **23**

L'action des drogues sur le cerveau. 23

Une bonne classification aide à comprendre 28

LES SUBSTANCES

Alcool **34**

Amphétamine, méthamphétamine et cristal meth **49**

Cannabis **56**

Champignons magiques et psilocybine **64**

Cocaïne, *crack* et *freebase* **66**

Ecstasy **75**

GHB (gamma-hydroxybutyrate) **83**

Héroïne **86**

Kétamine **92**

LSD **94**
Médicaments psychoactifs **98**
Mescaline **109**
Méthadone **111**
PCP (phencyclidine) **116**
Substances dopantes **120**
Substances volatiles **136**
Tabac **142**

AGIR, RÉAGIR, AIDER, ÊTRE AIDÉ **153**
La consommation à l'adolescence 155
Comment obtenir de l'aide 162
Les ressources spécialisées en toxicomanie 164
Des services disponibles au téléphone pour tous 167
Les sites Internet à connaître 170

ANNEXE 1 : Les lois 172
ANNEXE 2 : Évaluer son alcoolémie 174
ANNEXE 3 : Intoxication aiguë à l'alcool 176
ANNEXE 4 : Effets de l'alcool ou des drogues sur la conduite d'un véhicule moteur 178
ANNEXE 5 : Liste des substances et des méthodes interdites selon le code mondial antidopage 182
ANNEXE 6 : Effets recherchés par les athlètes lors de la prise des produits anabolisants 184
LEXIQUE 185
BIBLIOGRAPHIE 194
APPELS DE NOTES 199
CRÉDITS 202

AVANT-**PROPOS**

C'est avec fierté que le Centre québécois de lutte aux dépendances (CQLD) vous présente la version 2006 de **Drogues : savoir plus, risquer moins.** Ce petit livre d'information sur les drogues figure, depuis 2001, parmi les livres les plus populaires au Québec avec 125 000 exemplaires vendus. Cet engouement témoigne de l'intérêt de la population et de son besoin d'avoir, à portée de main, un document d'information sur les drogues qui peut facilement être consulté et compris.

Les drogues, au sens large du terme, font partie de la vie et de la culture de toutes les civilisations depuis l'Antiquité. Elles peuvent soulager la douleur ou les symptômes d'une maladie (morphine), corriger un déséquilibre psychologique (antidépresseurs) ou augmenter les performances d'un athlète (stéroïdes). Elles peuvent également provoquer un état de mieux-être (alcool) ou procurer des sensations extrêmes (LSD), d'où leur grand pouvoir de séduction.

Mais nous connaissons tout aussi bien le côté sombre de ces substances. Elles peuvent entraîner une dépendance, conduire en prison, provoquer des comportements incompatibles avec la vie en société ou causer des déséquilibres pires que ceux qu'elles voulaient d'abord corriger. Elles peuvent aussi perturber l'économie d'un pays, nourrir le crime organisé et avoir des conséquences dramatiques sur le fonctionnement de la société, engendrant des coûts sociaux incalculables.

Sans prétendre résoudre toutes ces questions, nous avons choisi, dans cet ouvrage, de transmettre une information qui se veut la plus objective et la plus actuelle possible, en espérant susciter des discussions, combler des lacunes au niveau des connaissances et corriger les idées préconçues qui foisonnent un peu partout, particulièrement chez les jeunes, au moment où ils font face à des choix dont ils ne peuvent encore mesurer les conséquences.

Nous souhaitons rappeler que le livre **Drogues : savoir plus, risquer moins** a d'abord été publié en France, en 2000 par la Mission interministérielle de lutte contre la drogue et la toxicomanie (MILDT). Une nouvelle version de cet ouvrage a été publiée en 2006 et nous tenons à remercier chaleureusement monsieur Didier Jayle, président de la MILDT et monsieur Philippe Lamoureux, directeur général de l'Institut National de Prévention et d'Éducation pour la Santé, qui nous ont généreusement donné accès à cette nouvelle version.

Nous profitons de l'occasion pour remercier le ministère de la Santé et des Services sociaux d'avoir accepté de contribuer financièrement à cette nouvelle édition. Nous voulons également remercier tous ceux qui, de près ou de loin, ont collaboré à la mise à jour de ce document de référence qui favorisera, nous en sommes persuadés, une meilleure compréhension des phénomènes liés à la présence des drogues dans notre société.

Rodrigue Paré
Président
Centre québécois de lutte aux dépendances

PRÉFACE

Québec

Les bienfaits de la prévention sont la preuve de la nécessité pour nos gouvernements d'agir dans ce sens avec des connaissances sans cesse renouvelées. Conscients de l'importance que revêt notamment la prévention dans le domaine des toxicomanies, nous avons mis en œuvre le Plan d'action interministériel 2006-2011, qui correspond à l'implication de notre gouvernement pour prévenir, traiter et limiter les effets de la toxicomanie.

L'esprit de cet ouvrage est une illustration de notre volonté de fournir à la population la connaissance nécessaire pour comprendre les effets des drogues. En dotant les citoyennes et citoyens d'une information pertinente nous entendons atténuer les méfaits de la banalisation de la consommation de psychotropes. En favorisant une prise de conscience importante de la part des plus jeunes et des plus âgés et en réunissant le plus grand nombre d'intervenants, nous pouvons, à l'instar de **Drogues : savoir plus, risquer moins,** prémunir le plus grand nombre d'entre nous afin de contrer les effets nocifs des drogues.

Philippe Couillard
Ministre de la Santé et des Services sociaux

UNE SOCIÉTÉ SANS DROGUE, ÇA N'EXISTE PAS

UNE SOCIÉTÉ **SANS DROGUE**, ÇA N'EXISTE PAS

POURQUOI EST-IL NÉCESSAIRE D'INFORMER ?

Aujourd'hui, nous savons que toutes les substances psychoactives* agissent sur le cerveau en modifiant le psychisme des individus, qu'il s'agisse de drogues illicites*, d'alcool, de tabac ou de médicaments* psychoactifs.

Nous savons aussi que les pratiques de consommation de ces drogues se sont profondément transformées, notamment chez les jeunes : banalisation du cannabis, augmentation des états d'ivresse répétés, consommation de tabac à un niveau élevé, percée des drogues de synthèse, prise de conscience du phénomène du dopage*, recours de plus en plus fréquent aux médicaments* psychoactifs, et surtout, association régulière de plusieurs produits licites* ou illicites* consommés en même temps ou successivement.

La faiblesse des informations mises à la disposition du grand public laisse place à des messages souvent inexacts et contradictoires. Cette situation renforce les malentendus, les inquiétudes et les peurs, mais surtout le sentiment d'impuissance face aux personnes qui consomment des drogues. Elle encourage des attitudes excessives et inadaptées variant, trop souvent, entre l'indifférence et la dramatisation.

La faiblesse des informations mises à la disposition du grand public laisse place à des messages souvent inexacts et contradictoires

Il est vrai que, pendant longtemps, nous savions peu de chose ou étions mal renseignés.

Depuis quelques années, nous disposons de données scientifiques beaucoup plus fiables et nombreuses. Toutefois, elles ne sont pas toujours portées à la connaissance des personnes concernées. Cela est d'autant plus gênant que les données évoluent très vite. Par exemple, l'arrivée régulière de nouvelles drogues implique une mise à jour constante des informations.

C'est dans cet esprit que le **Centre québécois de lutte aux dépendances** a entrepris l'adaptation d'une nouvelle version de cet ouvrage, publié pour la première fois en 2001. Cette mise à jour tient principalement compte des nouvelles réalités de la consommation des substances présentes au Québec.

POURQUOI UN LIVRE SUR LES DROGUES ?

Ce livre vise plusieurs objectifs. Tout d'abord, il cherche à mettre à la disposition de tous, les informations aujourd'hui disponibles sur les drogues et les dépendances*. Pour garantir l'objectivité et la fiabilité de ces informations, il s'appuie sur les données scientifiques les plus récentes, ainsi que sur l'expertise de nombreux spécialistes.

Ce livre informe sur les produits et leurs effets, mais aussi sur les facteurs de risque et de protection. Il donne des éléments chiffrés, ainsi que des informations utiles sur la loi et l'aide disponible. Il fournit enfin un certain nombre d'adresses et de ressources utiles.

Nous savons que l'objectif est ambitieux et qu'il est difficile de transmettre des connaissances, techniquement ou scientifiquement complexes, en étant à la fois exact et compréhensible.

Ce livre informe sur les produits et leurs effets, mais aussi sur les facteurs de risque et de protection

Nous souhaitons qu'il puisse répondre le mieux possible à cette demande, toujours présente, d'informations objectives et à la portée de tous sur les diverses substances psychoactives*. Nous voulons également qu'il aide à ouvrir un dialogue utile et pertinent entre les jeunes et les personnes qui les entourent, plus particulièrement les parents.

En effet, rien ne sert de conseiller aux parents de parler des drogues avec leurs enfants s'ils ne disposent pas des arguments et des éléments de connaissance nécessaires.

C'est à partir de tous ces éléments d'information qu'ils pourront être mieux à l'écoute de leurs enfants, prendre conscience de leur vulnérabilité et de la gravité éventuelle des risques qu'ils prennent. Ils seront ainsi mieux placés pour jouer leur rôle éducatif sans nécessairement avoir besoin de recourir à un spécialiste.

Il existe des réponses efficaces, qui permettent d'éviter les consommations dangereuses et de réduire les risques qui y sont associés

C'est un objectif modeste car une information, aussi bien faite soit-elle, ne suffit pas à elle seule à modifier des attitudes, voire à adopter des comportements responsables.

Il n'y a pas de société sans drogue, il n'y en a jamais eu. Il n'y a pas non plus de solution miracle, ni au Québec, ni au Canada, ni ailleurs dans le monde.

En revanche, il existe des réponses efficaces, qui permettent d'éviter les consommations dangereuses et de réduire les risques qui y sont associés.

Sans pouvoir répondre à tout, ce livre peut néanmoins permettre à chacun d'avoir les repères essentiels pour voir ce qu'on ne regarde pas toujours, pour comprendre et pour agir.

USAGE **RÉCRÉATIF, ABUS** ET DÉPENDANCE

LES SUBSTANCES ET LES DIFFÉRENTS COMPORTEMENTS

Les effets, les risques et les dangers des psychotropes* ou substances psychoactives* varient suivant les produits et l'usage qu'on en fait. Les raisons de consommer diffèrent selon chaque personne : elles sont liées à son histoire, à son état de santé, à son environnement familial et social.

La consommation de ces produits procure un plaisir ou un soulagement immédiat :

- → on peut boire un verre d'alcool pour se détendre, pour le plaisir de goûter un bon vin, pour se sentir mieux ou surmonter un moment douloureux ou encore, parce qu'on est tout simplement devenu dépendant
- → fumer du tabac pour faire comme les autres, pour le plaisir de partager un moment avec d'autres ou parce qu'on ne peut plus s'arrêter
- → consommer de l'ecstasy dans l'espoir d'accéder à des sensations extrêmes
- → abuser d'une substance pour atténuer une sensation de malaise, rechercher l'oubli d'une souffrance ou d'une réalité vécue comme insupportable

Que le produit soit licite* ou illicite*, on distingue trois types de comportements de consommation : l'usage récréatif*, l'abus* et la dépendance*.

Chaque comportement lié à la consommation de psychotropes* présente des risques différents : il dépend du produit, de la quantité consommée, de la voie d'administration utilisée, de la fréquence de la consommation, ainsi que de la vulnérabilité du consommateur et de divers facteurs psychologiques et socioculturels.

Que le produit soit licite ou illicite, on distingue trois types de comportements de consommation : l'usage récréatif, l'abus et la dépendance

QU'EST-CE QU'UNE SUBSTANCE PSYCHOACTIVE ?

Alcool, café, héroïne, GHB, amphétamines, cocaïne, cannabis... ce sont toutes des substances psychoactives*, c'est-à-dire qui agissent sur le psychisme des individus :

- → elles modifient le fonctionnement mental et peuvent entraîner des changements dans les perceptions, l'humeur, la conscience, le comportement et diverses fonctions physiques et psychologiques. Leur usage expose à des risques et à des dangers pour la santé et peut entraîner des conséquences sociales dans la vie quotidienne. Il peut en outre conduire à la dépendance*
- → elles provoquent des réactions somatiques (sur le corps) d'une grande diversité selon les propriétés de chacune, leurs effets et leur nocivité

Toutes ces substances sont régies par la loi

Par exemple, **la cocaïne, l'ecstasy, le LSD** et **le PCP** sont tous des produits illicites*. La *Loi réglementant certaines drogues et autres substances,* adoptée au Canada en 1997, en interdit et en réprime la possession, l'usage, la production, l'importation, l'exportation et le trafic.

Le cannabis est aussi une substance illicite, mais sa consommation est parfois autorisée dans un cadre médical très précis.

Les médicaments* psychoactifs (anxiolytiques*, sédatifs*, hypnotiques*, antidépresseurs, antipsychotiques, stabilisateurs de l'humeur) sont des produits licites*. Ils sont prescrits par un médecin pour traiter l'anxiété, l'excitation, l'insomnie, la dépression, les psychoses, les troubles de l'humeur. Leur production et leur usage sont strictement contrôlés et leur obtention nécessite une ordonnance.

L'alcool et le tabac sont des produits licites. Ils sont consommés librement, principalement à des fins récréatives. Leur vente est autorisée et contrôlée et leur usage réglementé.

QU'EST-CE QUE L'USAGE RÉCRÉATIF ?

L'usage récréatif* est une consommation de substance(s) psychoactive(s)* qui n'entraîne ni complications pour la santé ni troubles du comportement pouvant avoir des conséquences néfastes sur soi-même ou sur les autres.

Dans la grande majorité des cas, l'usage récréatif n'entraîne pas d'escalade

C'est souvent le cas chez les adolescents ou les jeunes adultes qui expérimentent par curiosité, pour s'amuser ou pour imiter les autres par effet d'entraînement. La plupart du temps, ils semblent s'en tenir là, sans risque d'une éventuelle escalade. Il s'agit aussi des consommations occasionnelles et modérées qui concernent, par exemple, les usagers d'alcool ou de cannabis.

QU'EST-CE QUE L'ABUS ?

L'abus*, l'usage abusif ou l'usage à risque est une consommation susceptible de provoquer des dommages physiques, psychologiques, économiques, judiciaires ou sociaux pour le consommateur et pour son environnement immédiat ou lointain.

Les risques liés à l'abus dépendent principalement de la dangerosité spécifique du produit, des dommages pour la santé et des conséquences sociales de la consommation.

Les risques pour la santé (risques sanitaires) :

L'usage est abusif lorsqu'il entraîne une détérioration de l'état physique ou psychologique, l'aggravation de certaines maladies, voire des décès prématurés.

Les risques pour la vie quotidienne (risques sociaux) :

L'usage est abusif dans les situations où la consommation et ses effets peuvent occasionner un danger ou entraîner des dommages pour soi ou pour les autres (ex. : conduite d'un véhicule moteur sous l'influence de l'alcool ou d'une drogue).

SIGNES EXTÉRIEURS DE L'ABUS OU DE L'USAGE ABUSIF

On parle d'abus* ou d'usage abusif* lorsque l'on peut constater :

→ l'utilisation d'une substance dans des situations qui comportent des dangers : relâchement de la vigilance (conduite d'un véhicule moteur, manœuvre d'une machine dangereuse)

→ des infractions répétées, liées à l'usage d'une substance (délits commis sous l'effet d'un produit, accidents divers sous l'effet d'une substance, etc.)

→ l'aggravation de problèmes personnels ou sociaux causés ou amplifiés par les effets de la substance sur les comportements (dégradation des relations familiales, difficultés financières, etc.)

→ des difficultés ou l'incapacité de remplir ses obligations dans la vie professionnelle, à l'école, à la maison (absences répétées, mauvaises performances au travail, résultats médiocres, absentéisme, exclusion, abandon des responsabilités, etc.)

→ l'incapacité de se passer d'une substance pendant plusieurs jours

→ la mise en péril de la santé et de l'équilibre d'autrui (ex. : risques que fait encourir une femme enceinte à la santé de son bébé)

LA DÉPENDANCE, ÇA COMMENCE QUAND ?

Brutale ou progressive selon les produits, la dépendance* s'installe quand on ne peut plus se passer de consommer une ou plusieurs substances, sans éprouver de souffrances physiques ou psychologiques.

La vie quotidienne tourne largement ou exclusivement autour de la recherche et de la prise du produit : on est alors dépendant.

Il existe deux types de dépendance : la dépendance physique* et la dépendance psychologique*. Elles peuvent être associées ou non.

La dépendance* se caractérise d'abord par des symptômes* généraux :

→ l'impossibilité de résister au besoin de consommer

→ l'accroissement de la tension interne, de l'anxiété avant la consommation habituelle

→ le soulagement ressenti lors de la consommation

→ le sentiment de perte de contrôle de soi pendant la consommation

LA DÉPENDANCE PSYCHOLOGIQUE

Également appelé **dépendance psychique***, cet état implique que l'arrêt ou la réduction brusque de la consommation d'une drogue produit des symptômes* psychologiques caractérisés par une préoccupation émotionnelle et mentale reliée aux effets de la drogue et par un désir obsédant* (*craving*) d'en reprendre.

Cette privation de la drogue entraîne une sensation de malaise, d'angoisse, allant parfois jusqu'à la dépression. Une fois qu'elle a cessé de consommer, la personne peut mettre du temps à s'adapter à cette vie sans le produit. Cet arrêt bouleverse ses habitudes, laisse un vide et permet parfois la réapparition d'un mal-être que la consommation visait souvent à éliminer. Là pourrait se trouver l'explication des rechutes, parfois nombreuses, qui font partie du lent processus qui, éventuellement, peut permettre d'envisager la vie sans consommation problématique.

LA DÉPENDANCE PHYSIQUE

La privation de la drogue entraîne une sensation de malaise, d'angoisse, allant parfois jusqu'à la dépression

Certaines substances entraînent une dépendance physique*. Cet état implique que l'organisme s'est adapté à la présence continue de la drogue. Lorsque la concentration de la drogue diminue au-dessous d'un certain seuil, l'organisme réclame alors le produit. Cela se traduit par divers symptômes* physiques de l'état de manque*, appelé également syndrome de sevrage*.

La privation de certains produits tels que les opiacés*, le tabac, l'alcool et certains médicaments* psychoactifs engendre des malaises physiques qui varient selon le produit : douleurs avec les opiacés*, tremblements et convulsions avec l'alcool, les barbituriques et les médicaments* de type benzodiazépines*.

Ces symptômes* peuvent être accompagnés de troubles du comportement (anxiété, angoisse, irritabilité, agitation, etc.).

Lorsqu'une personne cesse de consommer une drogue de manière brutale, ou parfois même de façon progressive, on parle de sevrage. Pour aider la personne dépendante à se libérer du besoin de consommer la substance sans qu'elle souffre trop intensément des effets physiques du manque*, il existe au Québec un réseau d'aide médicale et psychosociale. On y offre un traitement qui peut prendre la forme d'un sevrage avec assistance médicale, d'un programme de réadaptation spécifique ou d'un traitement de substitution*. Le suivi médical et l'accompagnement psychosocial apportent une aide précieuse pour surmonter les difficultés du sevrage* et faciliter la réadaptation. Généralement, ce soutien favorise et renforce les résultats attendus.

Lorsqu'une personne cesse de consommer une drogue de manière brutale, ou parfois même de façon progressive, on parle de sevrage

LA POLYCONSOMMATION : MULTIPLICATION DES PRODUITS ET DES DANGERS

Parfois, les problèmes se compliquent lorsque la même personne consomme plusieurs produits.

La consommation d'un produit entraîne souvent l'usage d'autres substances psychotropes* :

→ alcool et cigarette

→ héroïne et cocaïne *(speedball)*

→ cannabis, tabac et alcool

→ PCP et cannabis *(killer weed)*

→ ecstasy et médicaments* psychoactifs

Dans ces cas, on parle de polyconsommation*. Les dangers sont souvent méconnus. Conjugués, les effets néfastes des produits peuvent être amplifiés, entraînant parfois des risques pouvant être graves pour la santé.

Il y a une nette corrélation entre la consommation de cigarettes et celle d'autres psychotropes*. En effet, la consommation d'alcool, de sédatifs*, d'héroïne et d'amphétamines est associée à une augmentation de la consommation de cigarettes.

La polyconsommation peut conduire à une polytoxicomanie, c'est-à-dire à la dépendance à plusieurs drogues

De plus, plusieurs études démontrent un lien entre le degré de dépendance* à l'alcool et la dépendance au tabac. Les personnes alcooliques ont tendance à fumer davantage et à subir plus d'échecs lors des tentatives d'arrêter de fumer. La majorité d'entre elles trouvent plus difficile de cesser de fumer que de cesser de boire.

MIEUX CONNAÎTRE LES SUBSTANCES

Dans ce livre, le mot drogue inclut toute substance qui modifie le fonctionnement mental et dont l'usage peut conduire à l'abus ou à la dépendance

L'ACTION DES DROGUES SUR LE CERVEAU

Tous les produits qui peuvent déclencher une dépendance* chez l'homme ont en commun une propriété : ils augmentent la quantité de dopamine* disponible dans une zone du cerveau appelée circuit de récompense, dont le rôle est de participer à la modulation du plaisir.

Ce circuit est impliqué dans la récompense (sensation de bien-être et de plaisir) que procurent les comportements liés à la nutrition et à la reproduction de l'espèce. Il participe ainsi à la satisfaction de vivre. Les substances psychoactives* stimulent anormalement ce circuit naturel et engendrent, à terme, la possibilité d'un déséquilibre plus ou moins permanent.

La toxicité* potentielle des substances psychoactives, comme celle de tout médicament*, est liée à la quantité consommée et varie d'un produit à l'autre. Donc, plus on consomme un produit à des doses toxiques, plus on en subit les conséquences. À l'inverse, moins on consomme un produit, ou si on le consomme à des doses non toxiques, moins on en subit les conséquences néfastes.

Une substance psychoactive dont la structure moléculaire ressemble à celle d'une substance produite naturellement par l'organisme telle la dopamine* ou la sérotonine, peut se fixer à la place de celle-ci sur des récepteurs* spécifiques du cerveau, produisant ainsi des effets caractéristiques.

SYNAPSE

La structure (anatomie) et le fonctionnement (physiologie) du cerveau humain reposent sur les cellules nerveuses ou neurones. Le système nerveux est constitué d'au moins 100 milliards de neurones formant un agencement de connexions complexes. Pour passer d'un neurone à un autre, l'influx nerveux se transforme en messages chimiques qui prennent la forme d'une substance sécrétée par le neurone appelée neuromédiateur*. La connexion entre deux neurones s'effectue au moyen de synapses*.

On distingue trois éléments : une partie présynaptique qui émet le messager, la fente synaptique où circule le messager et une partie postsynaptique qui reçoit le message chimique.

Il existe différents médiateurs chimiques ou neuromédiateurs* : la dopamine*, la sérotonine, l'adrénaline, la noradrénaline, l'acétylcholine, les endomorphines, les endocannabinoïdes, le glutamate, le GABA, etc. Ces substances se lient à des récepteurs* spécifiques dans le cerveau. Le neuromédiateur* traverse l'espace situé entre deux neurones, la fente synaptique. C'est à ces niveaux qu'agissent les substances psychoactives*.

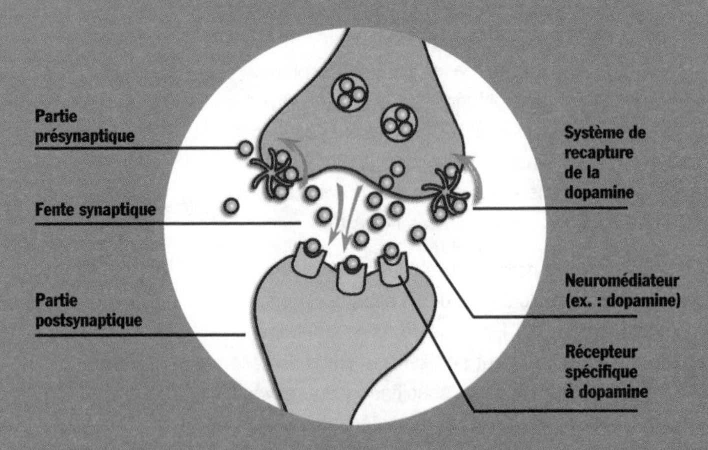

CONNEXION ENTRE DEUX NEURONES

À l'intérieur du cerveau, les informations circulent sous forme d'activité électrique, appelée influx nerveux ; elles cheminent des dendrites au corps cellulaire, où elles sont traitées, puis du corps cellulaire à l'axone.

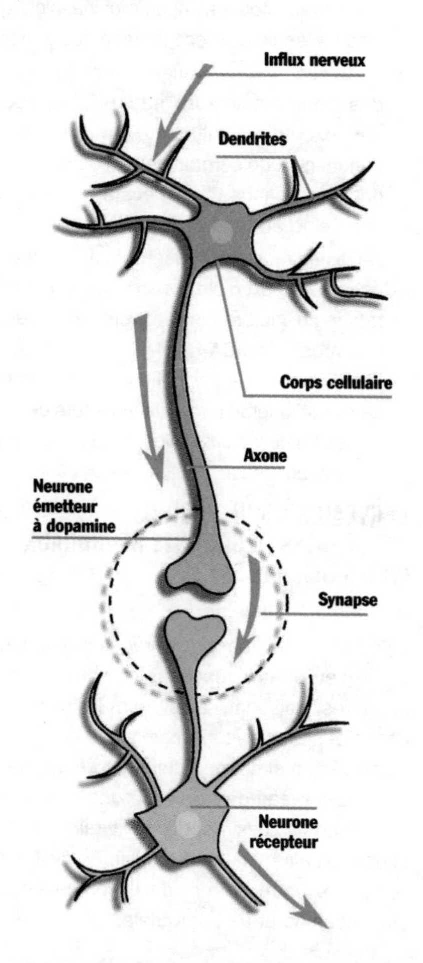

Trois modes d'action sur les neuromédiateurs* selon les substances :

→ certaines drogues imitent les neuromédiateurs naturels et se substituent donc à eux sur les récepteurs* : par exemple, la morphine se fixe sur les récepteurs à endomorphine, alors que la nicotine se lie aux récepteurs à acétylcholine

→ certaines drogues augmentent la sécrétion des neuromédiateurs naturels : la cocaïne, par exemple, augmente la présence de dopamine*, de sérotonine, et de noradrénaline dans la synapse* et l'ecstasy, celle de la dopamine et de la sérotonine

→ certaines drogues bloquent un neuromédiateur naturel : par exemple, l'alcool bloque l'effet excitateur du glutamate à travers les récepteurs nommés NMDA (N-méthyl-D-aspartate). L'interférence de l'alcool sur ce type de récepteurs expliquerait en partie les effets de l'alcool sur les fonctions cognitives, incluant la mémoire et l'apprentissage

CERVEAU HUMAIN, RÉGIONS CÉRÉBRALES ET CIRCUITS NEURONAUX (VOIES NERVEUSES)

Système limbique

Le système limbique, ou cerveau des émotions, est le lieu où nos réactions cérébrales les plus primaires naissent, ainsi que la plupart des désirs et besoins vitaux, comme se nourrir, réagir à l'agression et se reproduire. De ce fait, il existe dans le cerveau des circuits dont le rôle est de récompenser ces fonctions vitales par une sensation agréable ou de plaisir. Ce système est composé, entre autres, de l'hypothalamus, de l'hippocampe et de l'amygdale.

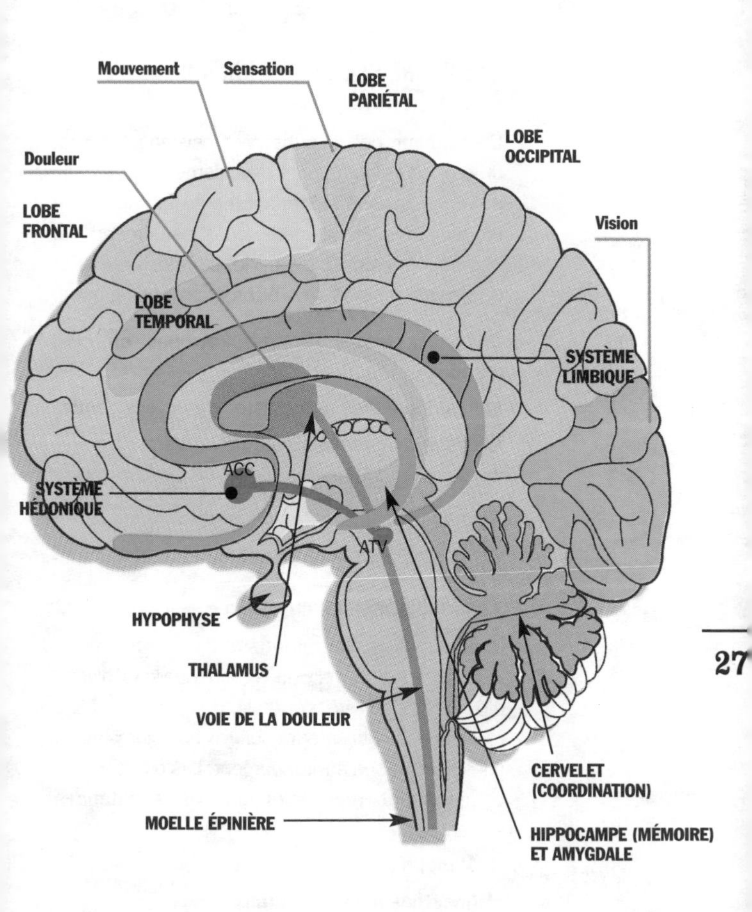

Système hédonique ou système de récompense*

Le système hédonique, relié à la sensation de plaisir, fait également partie du système limbique ; il comprend l'aire tegmentaire ventrale (ATV), qui contient des neurones à dopamine*, et le noyau accumbens (ACC) où ils se projettent.

UNE BONNE CLASSIFICATION AIDE À COMPRENDRE

Un psychotrope* ou substance psychoactive* est un produit qui agit sur le psychisme d'un individu en modifiant son fonctionnement mental. Il peut entraîner des changements dans les perceptions, l'humeur, la conscience, le comportement et diverses fonctions physiques et psychologiques.

On peut classer les psychotropes en cinq grandes catégories :

❶ Les dépresseurs du système nerveux central

❷ Les stimulants du système nerveux central

❸ Les perturbateurs du système nerveux central

❹ Les médicaments* psychoactifs

❺ Les androgènes et les stéroïdes anabolisants

❶ Les dépresseurs du système nerveux central

Ces substances ralentissent les fonctions psychiques d'un individu en diminuant le niveau d'éveil et l'activité générale du cerveau. Elles relaxent leur utilisateur. Celui-ci est alors moins conscient de son environnement. Les dépresseurs comprennent principalement les substances suivantes :

Un psychotrope est un produit qui agit sur le psychisme d'un individu en modifiant son fonctionnement mental

→ **Alcool**

→ **Anesthésiques* généraux**

→ **Anxiolytiques*, sédatifs* et hypnotiques***
(appelés couramment somnifères)
- barbituriques : ex. : butalbital (Fiorinal®)
- benzodiazépines* : ex. : alprazolam (Xanax®), clonazépam (Rivotril®), diazépam (Valium®), lorazépam (Ativan®)
- buspirone (BuSpar®)

- hydrate de chloral (Hydrate de chloral-Odan®)
- zaleplon (Starnoc®)
- zopiclone (Imovane®)

→ **Gamma-hydroxybutyrate ou GHB**

→ **Opiacés***
- codéine
- héroïne
- méthadone
- morphine
- opium, etc.

→ **Substances volatiles**

❷ Les stimulants du système nerveux central

Ces substances stimulent les fonctions psychiques d'un individu. Elles augmentent le niveau d'éveil et l'activité générale du cerveau. Les stimulants accélèrent le processus mental. Le consommateur est alors plus alerte et plus énergique. Dans cette catégorie, on distingue :

→ **Stimulants majeurs**
- amphétamines
- cocaïne

→ **Stimulants mineurs récréatifs**
- caféine : présente dans le café, le thé, le maté, le cacao, le chocolat, le kola, les boissons au cola, le guarana et diverses préparations pharmaceutiques
- nicotine : présente dans le tabac et dans certaines préparations pour aider à cesser de fumer

❸ Les perturbateurs du système nerveux central

Ces substances, appelées hallucinogènes, perturbent les fonctions psychiques d'un individu. Elles provoquent des altérations plus ou moins marquées du fonctionnement cérébral, de la perception, de l'humeur et des processus cognitifs. Les substances suivantes se retrouvent dans cette catégorie :

→ **Cannabis et dérivés**
- marijuana
- haschich
- tétrahydrocannabinol ou THC
- cannabidiol ou CBD
- nabilone

→ **Hallucinogènes**
- kétamine
- LSD
- MDMA ou ecstasy
- mescaline
- phencyclidine ou PCP
- psilocybine
  (dans les champignons magiques)

❹ Les médicaments psychoactifs

Les médicaments* psychoactifs représentent les principales substances psychoactives prescrites pour la thérapie des troubles mentaux. Dans cette catégorie, on distingue :

→ **les anxiolytiques* et les sédatifs***

→ **les somnifères ou hypnotiques***

→ **les antidépresseurs**

→ **les antipsychotiques**

→ **les stabilisateurs de l'humeur**

Ils sont principalement utilisés dans le traitement de la dépression, des psychoses et de la maladie affective bipolaire* (anciennement appelée psychose maniaco-dépressive*). Il est à noter que plusieurs de ces substances se retrouvent parmi les dépresseurs du système nerveux central.

❺ Les androgènes et les stéroïdes anabolisants

Les androgènes et les stéroïdes anabolisants représentent une classe particulière de psychotropes* possédant une structure chimique commune de base appelée noyau stérol. Les androgènes ou hormones mâles sont principalement constitués par la testostérone* et la dihydrotestostérone. Les stéroïdes anabolisants sont des analogues de synthèse de la testostérone.

Bien que leurs applications thérapeutiques soient très limitées, les stéroïdes sont généralement employés dans le monde du sport pour augmenter la performance des athlètes. Les substances suivantes se retrouvent dans cette catégorie :

→ **testostérone et dérivés**
(Andriol®, AndroGel®, Delatestryl®, Depo-Testostérone®)

→ **danazol**
(Cyclomen®)

→ **nandrolone**
(Deca-Durabolin®)

TERMINOLOGIE

Dans la terminologie scientifique, les mots **médicament*** et **drogue** ont la même signification. D'ailleurs, le terme *drug* est la traduction anglaise du mot « médicament ».

Cependant, dans le langage populaire, on tend à distinguer les médicaments des drogues. Ainsi, le terme **médicament** est généralement utilisé pour décrire une substance administrée dans un but thérapeutique (traitement) ou prophylactique (prévention), alors que le terme **drogue** s'applique aux substances consommées dans un contexte illicite*.

→ HISTORIQUE

DES DROGUES AUX SUBSTANCES PSYCHOACTIVES

L'usage de drogues n'est pas un phénomène récent. En Asie, les feuilles du cannabis sont utilisées à des fins thérapeutiques depuis des millénaires. L'alcool apparaît dès l'Antiquité. La médecine grecque de l'Antiquité utilisait l'opium et en signalait déjà les dangers. Aux XVIe et XVIIe siècles, on se servait du tabac pour guérir les plaies. Au XIXe siècle, des chirurgiens employaient la cocaïne comme anesthésique* local.

Utilisés pour soigner et guérir, ces produits (dont l'usage varie selon les cultures et les traditions) étaient aussi employés dans des cérémonies sacrées ou des fêtes, afin de modifier l'état de conscience et de renforcer les relations entre les personnes.

Autrefois, le mot *drogue* désignait un médicament*, une préparation des apothicaires (pharmaciens d'autrefois) destinée à soulager un malade. Puis il a été utilisé pour désigner les substances illicites*.

Aujourd'hui, pour nommer l'ensemble de tous ces produits qui agissent sur le cerveau, que l'usage en soit interdit ou réglementé, on emploie les termes psychotropes* ou substances psychoactives.

LES SUBSTANCES

Alcool plaisir ou alcool violence, alcool oubli ou alcool fête, alcool détente ? Peu importe la raison, l'alcool doit se boire avec modération

ALCOOL

L'ALCOOL, QU'EST-CE QUE C'EST ?

L'alcool est obtenu par fermentation de végétaux riches en sucre ou par distillation.

EFFETS ET DANGERS DE L'ALCOOL

L'alcool est absorbé par le tube digestif. En quelques minutes, le sang le transporte dans toutes les parties de l'organisme.

L'alcool est un **dépresseur** du système nerveux central.

Lors d'une intoxication* aiguë, l'alcool peut provoquer, selon les quantités consommées, la désinhibition (faire tomber toute retenue), l'euphorie* , la diminution de l'attention, de la concentration, la confusion mentale, la désorientation, l'altération du jugement, de la perception des couleurs, des formes, des mouvements et des dimensions, des éclats émotionnels, l'agressivité et un comportement violent, des troubles digestifs (nausées, vomissements), une incoordination des mouvements, l'incontinence urinaire, etc.

Vin, bière et spiritueux

Lors d'une intoxication* aiguë très grave, l'alcool peut provoquer l'hypothermie (baisse de la température corporelle), l'anesthésie, l'inconscience, l'absence de réflexes, la dépression respiratoire marquée, le coma et la mort.

Les effets de l'alcool sur l'organisme sont proportionnels à l'alcoolémie, c'est-à-dire au taux d'alcool dans le sang.

Les effets de l'alcool sur l'organisme sont proportionnels à l'alcoolémie, c'est-à-dire au taux d'alcool dans le sang

Dans le cerveau, l'alcool se lie à de nombreux récepteurs biologiques comme les récepteurs à glutamate, GABA, sérotonine, nicotine. Il perturbe également les fonctions des neurones en altérant la structure de leurs membranes.

Enfin, l'alcool augmente la libération de dopamine* dans le système hédonique (relié à la sensation de plaisir).

Les risques sociaux

- → diminution de la vigilance, souvent responsable d'accidents de la circulation et d'accidents du travail
- → pertes de contrôle de soi qui peuvent conduire à des comportements de violence et à des passages à l'acte : agressions sexuelles, suicide, homicide
- → exposition à des agressions en raison d'une attitude parfois provocatrice ou du fait que la personne en état d'ébriété n'est plus capable de se défendre

Les risques pour la santé

À plus long terme, l'alcool affecte les principaux organes vitaux. Le consommateur régulier abusif risque de développer de nombreuses pathologies :

→ maladies du système nerveux, troubles psychiques (anxiété, dépression, suicide, violence, hallucinations)

→ troubles gastro-intestinaux, maladies du foie (cirrhose) et du pancréas (pancréatite)

→ troubles cardiovasculaires (cardiomyopathies)

→ troubles sanguins (hémorragies, anémies)

→ troubles métaboliques (perturbations du taux de sucre dans le sang ; augmentation de l'acide urique dans le sang entraînant la goutte)

→ troubles hormonaux (diminution de la libido, impuissance, infertilité, irrégularités menstruelles)

→ diminution de la résistance aux infections et augmentation des risques de développer des cancers (notamment les cancers de la bouche, de la langue, de l'œsophage, de l'estomac et du foie)

Quelques points à retenir

→ À poids égal et à consommations égales, l'alcoolémie de la femme est plus élevée que celle de l'homme. Dans ces conditions, la femme est plus vulnérable aux effets de l'alcool pour le même nombre de consommations

→ Lorsqu'on boit de l'alcool, plus on dépasse les limites indiquées, plus le risque est important

À long terme, l'alcool affecte les principaux organes vitaux

→ Quand la consommation d'alcool s'effectue avec, avant ou après avoir absorbé d'autres substances licites* ou illicites*, les effets sont majorés, et les risques multipliés. Une seule dose, même faible, peut avoir des conséquences néfastes immédiates

→ Si on boit sans manger, l'alcool passe beaucoup plus rapidement dans le sang et ses effets sont plus importants. Il est donc préférable de manger lorsqu'on consomme des boissons alcoolisées

→ Boire une grande quantité d'alcool en peu de temps provoque une montée importante du taux d'alcoolémie. **Seul le temps permet de le faire baisser**

Si on boit sans manger, l'alcool passe beaucoup plus rapidement dans le sang et ses effets sont plus importants

POUR UN USAGE SANS DOMMAGE

CONSOMMATIONS OCCASIONNELLES

→ Exceptionnellement, pas plus de **4** consommations standard en une seule fois

CONSOMMATIONS RÉGULIÈRES

→ Pour les femmes : pas plus de **2** consommations standard par jour

→ Pour les hommes : pas plus de **3** consommations standard par jour

→ Au moins un jour par semaine sans aucune boisson alcoolisée pour les deux sexes

Associée à des médicaments ou à des drogues, une seule dose d'alcool, même faible, peut avoir des conséquences néfastes immédiates

Conduite d'un véhicule moteur

Il est conseillé de s'abstenir de conduire si on a consommé de l'alcool. Les effets de l'alcool varient d'une personne à l'autre selon le sexe, le poids, la masse musculaire, la fatigue, la condition physique, l'état psychologique, etc. Associée à des médicaments* ou à des drogues, une seule dose d'alcool, même faible, peut avoir des conséquences néfastes immédiates.

Lorsqu'on a consommé de l'alcool, s'abstenir de conduire un véhicule ou de manœuvrer une machine dangereuse : avoir un conducteur désigné, utiliser les services de raccompagnement, le taxi ou le transport en commun, rester à coucher chez des amis.

On considère que l'organisme élimine environ 15 mg/100 ml d'alcool par heure. Ainsi, l'élimination complète de 80 mg d'alcool/100 ml de sang (la limite légale pour conduire un véhicule moteur au Québec et au Canada) nécessite en moyenne 5 heures et 20 minutes. Le lecteur trouvera à l'annexe 2 comment évaluer son alcoolémie.

Servis dans un bar ou un restaurant : un verre de vin rouge, blanc ou rosé, un bock de bière en fût, une flûte de champagne, un verre de porto, un petit verre de whisky peuvent s'équivaloir.

À domicile, les doses sont toutefois plus variables : les verres ne sont pas tous de la même taille et peuvent être plus ou moins remplis.

Il est donc important de connaître ce que représente une **consommation standard**.

CONSOMMATIONS STANDARD

Il est important de se rappeler que les consommations suivantes contiennent toutes la même quantité d'alcool, soit 13,5 grammes d'alcool par consommation standard :

Bière	Champagne	Vin de table	Vin apéritif	Spiritueux
5 %	**12 %**	**12 %**	**20 %**	**40 %**
341 ml (12 oz)	142 ml (5 oz)	142 ml (5 oz)	85 ml (3 oz)	43 ml (1,5 oz)

Ces cinq types de boissons alcoolisées représentent tous des consommations standard

Intoxication aiguë à l'alcool

Le lecteur trouvera à l'annexe 3 des informations utiles à toute personne qui pourrait être appelée à porter secours à un individu en état d'intoxication* aiguë à l'alcool.

En cas de doute sur le niveau d'intoxication

Il est souvent difficile de connaître avec précision la quantité d'alcool qu'une personne a consommée au cours des dernières heures. Il importe alors de vérifier l'évolution des effets, qui peut être rapide, au fur et à mesure que l'alcool est absorbé dans le sang. Si les effets démontrent une intoxication de plus en plus importante, il faut faire appel aux urgences médicales.

Si l'on est certain que l'absorption de l'alcool dans le sang est complète chez la personne (en moyenne 30 à 90 minutes après la fin de la consommation) et que les effets de l'intoxication sont dans une phase d'atténuation, elle peut être hors de danger. Il faut toutefois la surveiller constamment pour s'en assurer.

ALCOOL ET DÉPENDANCE

Certaines personnes risquent de passer d'une consommation raisonnable et contrôlée (usage récréatif), à une consommation excessive et non contrôlée (abus) ou à la dépendance

Certaines personnes risquent de passer d'une consommation raisonnable et contrôlée (usage récréatif*), à une consommation excessive et non contrôlée (abus*) ou à la dépendance*.

Les troubles liés à la consommation excessive d'alcool surviennent à des moments très variables selon les individus. Certains vont vivre des ivresses répétées avec de longues interruptions sans devenir pour autant dépendants. Cet usage reste toutefois risqué et peut comporter des dangers.

Un consommateur immodéré peut évoluer en trois phases vers la dépendance alcoolique :

Phase 1

Aucun dommage important.

Les activités professionnelles, sociales et familiales sont globalement conservées. La santé mentale et physique n'est pas altérée de manière significative.

Phase 2

Des difficultés d'ordre physique, psychologique, relationnel, social, professionnel et judiciaire apparaissent.

Des atteintes à la santé physique et mentale amènent parfois la personne à réduire sa consommation ou à cesser momentanément de boire (abstinence).

Phase 3

La personne est incapable de réduire sa consommation ou de cesser de boire, malgré la persistance des dommages.

De nombreux symptômes* peuvent apparaître : tremblements, crampes, anorexie, troubles du comportement. La personne est alors dépendante de l'alcool.

NE PAS BOIRE D'ALCOOL

- → pendant l'enfance et la préadolescence
- → pendant une grossesse
- → lorsqu'on conduit ou prévoit de conduire un véhicule ou lorsqu'on utilise des outils ou manœuvre des machines dangereuses
- → quand on exerce des responsabilités qui nécessitent de la vigilance
- → quand on prend certains médicaments*

ALCOOL ET GROSSESSE : LES LIAISONS DANGEREUSES

Une consommation, même occasionnelle ou faible, d'alcool pendant la grossesse n'est pas anodine et peut entraîner des risques pour l'enfant à naître. L'alcool passe du sang maternel au sang du fœtus, sans que le placenta ne joue le rôle de « filtre » : les concentrations d'alcool chez le fœtus sont donc très proches des concentrations dans le sang maternel.

Une consommation quotidienne, même très faible, ou des ivresses épisodiques peuvent entraîner des complications durant la grossesse (retards de croissance du fœtus, accouchements prématurés), ainsi que des troubles des fonctions cognitives, tels que des troubles définitifs de la mémoire, de l'apprentissage, de l'attention, etc.

Une consommation quotidienne importante peut provoquer des troubles graves chez l'enfant à naître. Le *syndrome alcoolique fœtal* est l'atteinte la plus grave de l'exposition prénatale à l'alcool. Il se manifeste notamment par des anomalies dans la croissance, des anomalies faciales, des troubles cardiaques, des problèmes oculaires et des dommages du système nerveux central susceptibles d'entraîner des déficits fonctionnels tels que le retard mental ou l'hyperactivité.

→ HISTORIQUE

LA CONSOMMATION D'ALCOOL REMONTE À L'ANTIQUITÉ

La consommation d'alcool remonte au moins à l'ère paléolithique, celle où les premières civilisations humaines utilisant des outils et des pierres taillées ont fait leur apparition. Déjà à l'époque, l'Homo Sapiens obtient des boissons fermentées d'une teneur alcoolique relativement faible, à partir de grains (bière), de jus de fruits (vin) ou de miel (hydromel).

C'est vers l'an 800 que les Arabes découvrent la technique de distillation, laquelle permet d'obtenir les spiritueux, des alcools à très hautes concentrations. Quand celle-ci est introduite en Europe vers l'an 1000, les alchimistes croient que l'alcool est l'élixir de la vie longtemps recherché. L'alcool est alors considéré comme le remède pour pratiquement toutes les maladies tel que le suggère le terme whisky qui signifie eau-de-vie pour les Irlandais.

Les problèmes sérieux reliés à la consommation d'alcool s'accentuent à partir du XVIIIe siècle avec la production et la distribution en masse des spiritueux, plus particulièrement le gin. L'épidémie de gin qui frappe l'Angleterre à partir de 1720 a des conséquences sociales dramatiques qui conduisent à la naissance des mouvements de tempérance. Leur impact politique conduit les États-Unis à la prohibition en 1919. Le commerce parallèle et la criminalité engendrés par la prohibition amènent sa levée en 1933.

Au cours du XXe siècle, les percées scientifiques ont permis de mieux définir les variables biopsychosociales reliées à la consommation inappropriée de l'alcool. De nos jours, les concepts d'alcoolisme et de son traitement étant mieux circonscrits, plusieurs approches efficaces existent pour lutter contre cette dépendance.

Aujourd'hui, la consommation excessive d'alcool et l'alcoolisme frappent de nombreux pays en développement

ALCOOL

LES CHIFFRES D'UNE RÉALITÉ QUÉBÉCOISE

→ En 2003[1], une enquête révèle que 85 % des Québécois de 15 ans et plus (88 % des hommes et 82 % des femmes) ont consommé de l'alcool au cours de la dernière année. Ceci représente plus de 5 000 000 de personnes.

Tendance statistique : ↑ de 4 % depuis 1998[2].

→ En 2003[1], cette même enquête révèle qu'au cours de la dernière année, 31,8 % des Québécois de 15 ans et plus ont consommé de l'alcool deux fois ou plus par semaine (40,8 % des hommes et 22,5 % des femmes). Ceci représente plus de 1 800 000 personnes.

Tendance statistique : ↑ de 6,6 % depuis 2001[3].

→ En 2003[1], cette même enquête démontre qu'au cours de la dernière année, 39,5 % des Québécois de 15 ans et plus (48,2 % des hommes et 28,9 % des femmes) ont consommé de l'alcool de façon excessive (5 verres et plus en une même occasion au moins une fois dans l'année). Ceci représente plus de 2 300 000 personnes.

Tendance statistique : ↑ de 6 % depuis 2001[3].

Pourcentage de buveurs excessifs dans la population selon le groupe d'âge

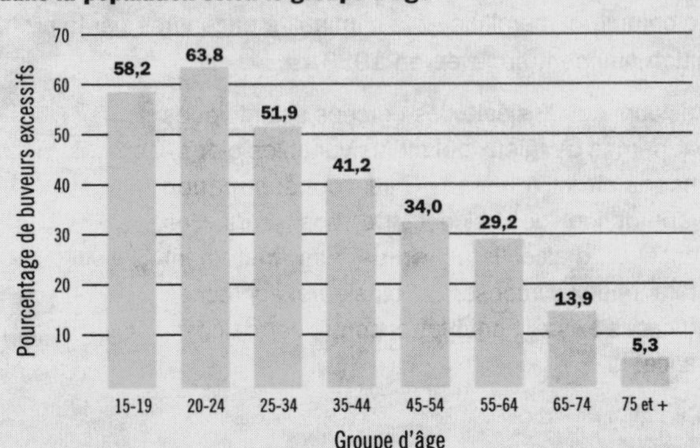

→ En 2002[4], une enquête révèle qu'au cours de la dernière année, 1,9 % des Québécois de 15 ans et plus risquaient d'être dépendants de l'alcool (2,9 % des hommes et 1 % des femmes). Ceci représente plus de 100 000 personnes.

Pourcentage de personnes de 15 ans et plus à risque d'être dépendantes de l'alcool, selon les provinces canadiennes en 2002

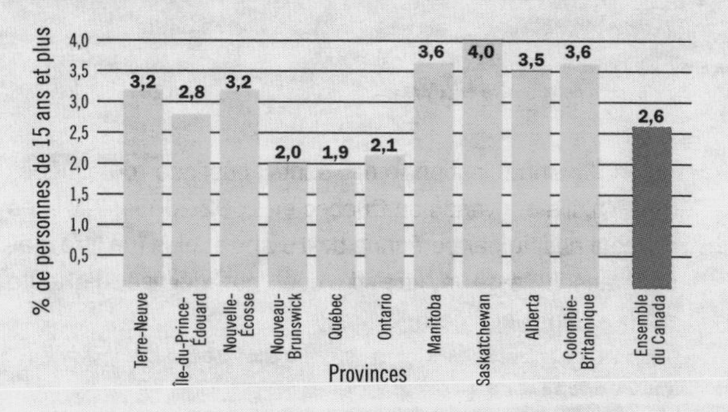

→ En 2004[5], une étude démontre que 63,5 % des élèves du secondaire (12 à 17 ans) ont consommé de l'alcool au cours de la dernière année (62,7 % des garçons et 64,2 % des filles). Ceci représente environ 276 086 élèves du secondaire.

Tendance statistique : ↓ de 2 % de 2000[6] à 2002[7]
et ↓ de 6 % de 2002[7] à 2004[5].

→ Une enquête révèle qu'en 2004[5], l'âge moyen d'initiation à la consommation régulière d'alcool (avoir consommé au moins une fois par semaine pendant au moins un mois) était de 13,9 ans.

Tendance statistique : stable depuis 2000[6].

→ Selon un rapport du ministère de la Santé et des Services sociaux du Québec[8], 9 263 personnes ont été traitées pour un problème d'alcool dans les Centres de réadaptation pour personnes alcooliques et toxicomanes du Québec en 2000.

→ Selon les fichiers du ministère de la Santé et des Services sociaux du Québec[9], 4 000 personnes furent hospitalisées en 2002 pour un diagnostic principal lié à l'alcool dont près de 2 000 hospitalisations dues au syndrome de dépendance à l'alcool.

→ D'après un rapport de la Société de l'assurance automobile du Québec[10], le pourcentage de conducteurs décédés avec un taux d'alcoolémie supérieur à 80 mg/100 ml de sang s'établissait à 31 % en 2004.

Tendance statistique : ↓ du taux d'infractions pour conduite avec facultés affaiblies, qui est passé de 296/100 000 titulaires de permis de conduire en 2000 à 247/100 000 en 2001[11], puis à 216/100 000 en 2005[12].

→ Selon l'Institut national de santé publique du Québec (INSPQ), il s'est vendu au Québec en 2002-2003[13], 7,8 litres d'alcool absolu par personne de 15 ans et plus (un litre d'alcool absolu est un litre d'alcool pur dégagé de toute association avec l'eau).

Tendance statistique : ↑ de 0,9 litre d'alcool absolu vendu par personne de 15 ans et plus depuis 1997-1998[14].

→ En 2002-2003[13], d'après l'INSPQ, c'est la consommation de bière qui occupait de loin la première place au plan des boissons alcoolisées vendues au Québec, avec 55,4 % de toutes les ventes d'alcool comparativement au vin (32,4 %) et aux spiritueux (12,2 %).

Ventes en litres d'alcool absolu par personne de 15 ans et plus

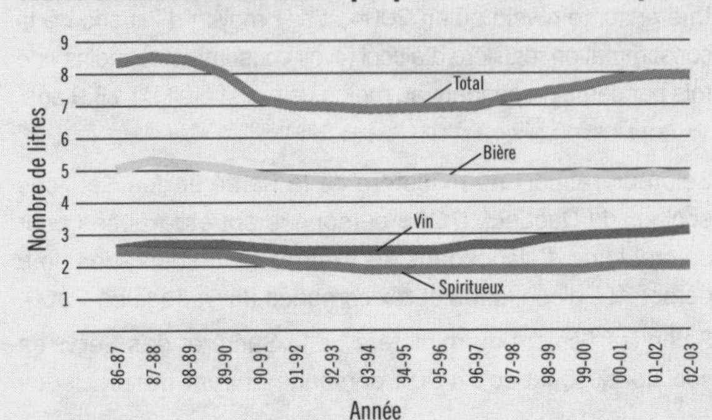

QUE PRÉVOIT LA LOI ?

L'alcool est un produit licite* dont la production, la vente et l'usage sont principalement régis par la *Loi sur les aliments et drogues*. L'importation, l'exportation, l'imposition des taxes et la publicité électronique des produits de l'alcool sont de compétence fédérale. La commercialisation, la promotion publicitaire et la vente des produits destinés à être consommés à l'extérieur des points de vente sont de juridiction provinciale.

L'établissement des prix, l'âge légal de consommation et l'interdiction de vente aux personnes intoxiquées caractérisent de telles mesures législatives, de même que l'interdiction de consommer ou de s'intoxiquer sur la voie publique. Par contre, l'âge légal pour consommer de l'alcool est soumis à certaines exceptions comme la consommation d'alcool dans le cadre d'un rituel religieux ou la supervision parentale à l'intérieur d'une résidence. L'interdiction pour les commerçants du Québec de vendre de l'alcool après 23 heures est un autre exemple de cette législation.

Conduite avec facultés affaiblies

Au Québec, quand une personne est interceptée au volant de son véhicule avec les facultés affaiblies, elle est susceptible de subir des sanctions à deux paliers différents : au fédéral, en vertu du Code criminel et au provincial, en vertu du Code de la sécurité routière.

Les infractions suivantes relèvent du **Code criminel** :

- → conduire ou avoir la garde ou le contrôle d'un véhicule moteur, lorsque sa capacité de conduire ce véhicule est affaiblie par l'effet de l'alcool ou d'une drogue (art. 253 (a))
- → conduire ou avoir la garde ou le contrôle d'un véhicule moteur, lorsqu'on a consommé une quantité d'alcool telle que son alcoolémie dépasse 80 mg/100 ml de sang (253 (b))

Le lecteur retrouvera à l'annexe 4 des informations importantes sur les effets de l'alcool ou des drogues sur la conduite d'un véhicule moteur

- refuser de fournir un échantillon d'haleine ou de sang (254 (5))
- commettre une infraction en vertu de l'art. 253 (a) causant des lésions corporelles (art. 255 (2))
- commettre une infraction en vertu de l'art. 253 (a) causant la mort (art. 255 (3))

Le **Code criminel** prévoit les peines suivantes :

- Amende minimale de 600 $ (1re infraction)
- Emprisonnement (minimum de 14 jours pour une seconde infraction ; peine maximale d'emprisonnement à perpétuité pour les facultés affaiblies ayant causé la mort)
- Interdiction de conduire (de 1 à 3 ans) ; possibilité d'antidémarreur, si le juge le permet

Le **Code de la sécurité routière** prévoit les mesures suivantes :

- Suspension immédiate du permis de conduire à la suite d'un constat d'infraction (30 ou 90 jours)
- Révocation du permis de conduire suite à la condamnation au Code criminel (1 à 5 ans)
- Conditions préalables à la réobtention du permis :
  - Session d'éducation Alcofrein (1re infraction)
  - Évaluation sommaire ou complète du comportement face à l'alcool et la conduite automobile
- Antidémarreur éthylométrique
- Saisie du véhicule (30 jours) et amende (1 500 $ à 3 000 $) si conduite durant une sanction reliée à l'alcool

AMPHÉTAMINE, MÉTHAMPHÉTAMINE ET CRISTAL METH

Les amphétamines sont des stimulants majeurs qui se présentent sous forme de comprimés, de cristaux ou de poudre

Une mise au point s'impose sur ces stimulants puissants

L'amphétamine, la méthamphétamine et le cristal meth appartiennent à la même classe de substances, celle des amphétamines. Le terme amphétamines désigne un groupe de molécules dont les effets pharmacologiques sont apparentés. Il inclut entre autres substances, l'amphétamine, la méthamphétamine (deux fois plus puissante que l'amphétamine) et la MDMA communément appelée ecstasy.

LES AMPHÉTAMINES, QU'EST-CE QUE C'EST ET À QUOI ÇA RESSEMBLE ?

Les amphétamines (*speed*, *ice* ou *cristal*) sont des **stimulants** majeurs qui se présentent sous forme de comprimés, de cristaux ou de poudre. Très souvent mélangées avec d'autres produits, elles peuvent être administrées par voie orale, prisées ou même fumées.

Les doses d'amphétamines consommées par jour peuvent être très variables et sont fonction, entre autres, de la substance utilisée, de la voie d'administration et des habitudes de consommation de l'usager.

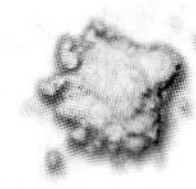

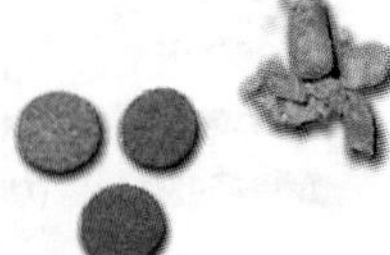

EFFETS ET DANGERS DES AMPHÉTAMINES

Stimulants physiques, les amphétamines suppriment la fatigue, augmentent la vigilance, provoquent une sensation de bien-être intense et donnent l'illusion d'être invincible. Les effets durent plusieurs heures et s'apparentent à ceux de la cocaïne.

Dans le cerveau, les amphétamines provoquent des augmentations immédiates et importantes de dopamine* et de sérotonine dans les synapses*, suivies d'un épuisement des stocks de ces neuromédiateurs*. Ceci entraîne des perturbations du fonctionnement cérébral.

Leur consommation peut entraîner une altération de l'état général par la dénutrition et par l'éveil prolongé (insomnie) conduisant à un état d'épuisement, une grande nervosité et des troubles psychologiques (anxiété, agitation, irritabilité, excitation, panique, perturbations de l'humeur, psychose, trouble paranoïde*). On peut assister à l'apparition de problèmes cutanés importants (boutons, acné).

La descente peut être difficile : elle peut provoquer une crispation des mâchoires, des crises de tétanie*, des crises d'angoisse, un état dépressif et comporter même parfois des risques suicidaires. Ces produits s'avèrent très dangereux en cas de dépression, de problèmes cardiovasculaires et d'épilepsie.

L'association avec des amphétamines et de l'alcool ou d'autres substances psychoactives comme l'ecstasy accroît les risques de neurotoxicité

L'association avec de l'alcool ou d'autres substances psychoactives comme l'ecstasy (MDMA) accroît les risques de neurotoxicité* (toxicité au niveau du système nerveux).

MÉTHAMPHÉTAMINE ET CRISTAL METH, DES AMPHÉTAMINES PARTICULIÈRES

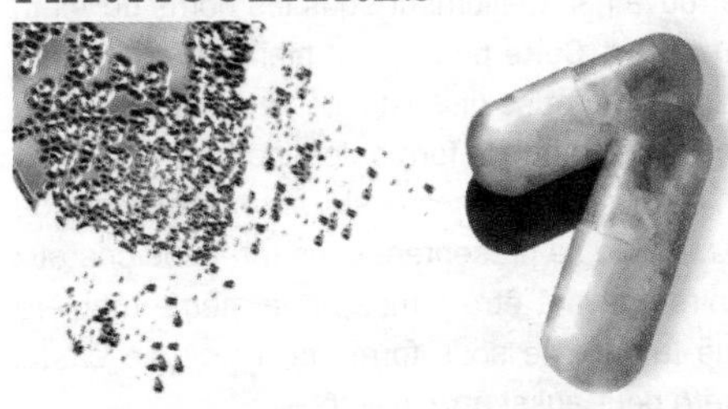

La méthamphétamine est un psychostimulant ayant des effets puissants sur le fonctionnement du système nerveux central et un fort potentiel d'induire la dépendance

LA MÉTHAMPHÉTAMINE, QU'EST-CE QUE C'EST ET À QUOI ÇA RESSEMBLE ?

La méthamphétamine est un psychostimulant de la famille des amphétamines. Elle a des effets puissants sur le fonctionnement du système nerveux central car elle est deux fois plus active que l'amphétamine.

Elle fait partie d'un ensemble de substances appelées « drogues de club » parmi lesquelles on retrouve également l'ecstasy, le GHB, le PCP et la kétamine. Ces drogues sont associées en grande partie au phénomène des soirées rave et des clubs *After Hours*.

Le *cristal meth* est une dénomination initialement attribuée à la méthamphétamine sous forme de cristaux, mais elle peut aussi se présenter sous forme de poudre ou de comprimés. Cette substance appartient aussi à la famille des amphétamines.

Le *cristal meth* se présente sous forme de cristaux, de capsules, de comprimés ou de poudre. La préparation sous forme de poudre est principalement destinée à être ingérée et on la retrouve habituellement sous les noms de *meth* ou *speed*. Cette poudre est blanche, cristalline, sans odeur et se dissout aisément dans l'eau ou l'alcool. Quant à la forme destinée à être fumée, on utilisera les termes *cristal meth, ice, cristal* ou *glass*. Elle se présentera sous forme de cristaux clairs pouvant être fumés de la même manière que la cocaïne sous forme de *crack*. Le *cristal meth* peut aussi être injecté.

EFFETS ET DANGERS DE LA MÉTHAMPHÉTAMINE

L'ingestion par voie orale sous forme de pilule ou de capsule, l'injection intraveineuse et l'inhalation (en fumée ou en poudre) sont les modes de consommation les plus courants. Lorsqu'elle est ingérée par voie orale, les effets débutent après 15 à 20 minutes et peuvent durer jusqu'à 12 heures, voire une journée entière. Elle est absorbée beaucoup plus rapidement lorsqu'elle est prise par voie intranasale et plus rapidement encore, lorsque consommée par voie intraveineuse ou intrapulmonaire. Ses effets sont alors ressentis presque instantanément et elle provoque une euphorie* intense allant jusqu'à une sensation de type orgasmique, communément appelée *rush**.

Le cristal meth consommé par inhalation ou par injection est l'un des plus puissants psychostimulants disponibles sur le marché des drogues illicites

Le *cristal meth* consommé par inhalation ou par injection est l'un des plus puissants psychostimulants disponibles sur le marché des drogues illicites*. L'individu est plus attentif, plus alerte et éprouve un sentiment de domination. La dépendance physique* et psychologique s'installe rapidement et l'envie de reconsommer cette drogue deviendra alors une préoccupation constante qui augmentera graduellement jusqu'à l'obsession. Cette obsession ne pourra se résoudre autrement que par un nouvel épisode de consommation intense.

Les utilisateurs chroniques présentent habituellement divers symptômes* d'anxiété, d'angoisse, d'insomnie et de dépression avec parfois des idées suicidaires. À cela peuvent s'ajouter diverses manifestations psychotiques telles que les troubles paranoïdes, les délires obsessionnels et les hallucinations, allant parfois jusqu'aux comportements violents. Cette agressivité est causée par les idées paranoïdes et l'impression de danger imminent. Les symptômes psychotiques peuvent persister des mois, voire des années après l'arrêt de la consommation.

Certains symptômes psychotiques peuvent persister des mois, voire des années après l'arrêt de la consommation

On peut également retrouver de la confusion et des déficits cognitifs prolongés. Le nombre, l'amplitude, la durée et la fréquence de ceux-ci varient généralement en fonction de l'intensité et de la durée de la consommation.

Comme pour les autres amphétamines, la consommation de méthamphétamine peut aussi causer divers troubles physiques qui varient selon les doses consommées et la sensibilité du consommateur :

→ rougeurs ou pâleurs

→ mydriase (dilatation des pupilles)

→ céphalées, tremblements, frissons

→ sécheresse de la bouche, goût désagréable persistant

À fortes doses, la méthamphétamine peut causer de l'hyperthermie, des convulsions et la mort.

- → diminution de l'appétit, perte de poids
- → crampes abdominales, constipation ou diarrhée
- → augmentation du rythme et de la profondeur de la respiration
- → troubles cardiovasculaires : tachycardie (augmentation du rythme cardiaque), arythmies, hypertension, cardiomyopathies et dommages aux microvaisseaux sanguins du cerveau
- → augmentation de la libido avec perte des inhibitions (plus rarement une baisse de la libido)
- → impuissance passagère, particulièrement lors d'un usage abusif et soutenu

À fortes doses, la méthamphétamine peut causer de l'hyperthermie (parfois la fièvre est très forte), des convulsions et la mort.

Interactions avec d'autres substances

La méthamphétamine interagit principalement avec les autres psychostimulants et les antidépresseurs. Dans le premier cas, il s'agit généralement d'effets synergiques où les effets s'additionnent ou se multiplient, et augmentent ainsi les risques de surdose*. Quant aux antidépresseurs, la consommation simultanée de ceux-ci et de la méthamphétamine peut conduire à des variations de pression sanguine dangereuses. Ces symptômes* physiologiques peuvent inclure les céphalées, les convulsions, les problèmes cardiovasculaires et un risque accru du syndrome sérotoninergique. Ce syndrome peut comprendre certaines des manifestations suivantes : agitation, confusion, irritabilité, altération de la conscience, faiblesse, rigidité musculaire, fièvre, transpiration, frissons, tremblements, hypertension, convulsions et collapsus cardiovasculaire.

AMPHÉTAMINES

LES CHIFFRES D'UNE RÉALITÉ QUÉBÉCOISE

→ Selon l'Enquête sur les toxicomanies* au Canada (ETC) menée en 2004[15], 8,9 % des Québécois de 15 ans et plus avaient déjà consommé des amphétamines au moins une fois dans leur vie. Ceci représente plus de 500 000 personnes.

→ Selon l'ETC[15], 2,3 % des Québécois de 15 ans et plus avaient consommé des amphétamines au cours des douze mois précédant l'enquête. Ceci représente plus de 100 000 personnes.

→ D'après une étude-terrain menée dans le milieu festif montréalais en 2004[16], les amphétamines étaient le type de substances les plus souvent consommées (70,4 % des cas) dans les *parties rave**.

→ En 2004[5], une étude démontre que 10,3 % des élèves du secondaire (12 à 17 ans) ont consommé des amphétamines au cours de la dernière année (9,5 % des garçons et 11 % des filles). Ceci représente plus de 45 000 élèves du secondaire.

Tendance statistique : ↑ de 0,6 % de 2000[6] à 2002[7], puis ↑ de 2,7 % en de 2002[7] à 2004[5].

→ Une étude menée en 2003[17] auprès des jeunes de la rue de Montréal (14-23 ans) démontre que 53,7 % de ces jeunes ont déjà consommé des amphétamines.

PRODUIT
ILLICITE

QUE PRÉVOIT LA LOI ?

→ La méthamphétamine est inscrite à l'annexe I de la *Loi réglementant certaines drogues et autres substances* depuis le 11 août 2005.

→ Les autres amphétamines sont inscrites à l'annexe III de la *Loi réglementant certaines drogues et autres substances.*

→ La possession, le trafic, la possession en vue d'en faire le trafic, la production, l'importation et l'exportation des amphétamines sont illégaux.

De plus en plus répandu, l'usage du cannabis concerne aussi bien les jeunes que les moins jeunes

CANNABIS

Le cannabis est le produit illicite* le plus consommé au Québec, au Canada et dans le monde. Bien que ses propriétés pharmacologiques soient bien connues, sa réglementation fait l'objet de nombreuses discussions.

Le principal ingrédient actif du cannabis responsable des effets psychotropes* est le THC (tétrahydrocannabinol). Sa concentration est très variable selon les préparations et la provenance du produit.

LE CANNABIS QU'EST-CE-QUE C'EST ET À QUOI ÇA RESSEMBLE ?

La marijuana (pot, mari, marijane, herbe, *weed)*

Feuilles, tiges et sommités fleuries, simplement séchées. La marijuana se fume telle quelle ou mélangée à du tabac, roulée en cigarette souvent de forme conique (le *joint**, le pétard, le bat, le billot, etc.).

Le haschich (hasch)

Il provient de la résine de la plante à laquelle on ajoute la poudre provenant des plants séchés et secoués. Le haschich se présente sous la forme de plaques compressées, de morceaux de couleur brune, noire, jaunâtre ou verdâtre selon les régions de production. Il se fume généralement mélangé à du tabac sous forme de cigarette (joint*) ou à l'aide d'une pipe. Le haschich est fréquemment coupé avec d'autres substances plus ou moins toxiques comme le henné*, le cirage, la paraffine, etc.

Le cannabis est une plante. Il se présente sous trois formes : la marijuana, le haschich et l'huile

Les huiles de marijuana ou de haschich

Extraits huileux provenant de la marijuana ou du haschich, ces préparations, généralement plus concentrées, sont habituellement déposées sur le papier à cigarette ou directement imprégnées dans du tabac, puis fumées.

Du fait des méthodes de culture actuelles, les concentrations en THC sont plus élevées dans les produits d'aujourd'hui, augmentant ainsi l'activité du produit. On trouve parfois des pourcentages de THC plus élevés dans la marijuana que dans le haschich ou les huiles.

EFFETS ET DANGERS DU CANNABIS

Le cannabis est un **perturbateur** du système nerveux central. Ses effets sont variables : euphorie*, accompagnée d'un sentiment d'apaisement, d'une légère somnolence et d'une envie spontanée de rire.

Des doses fortes entraînent rapidement des difficultés à accomplir diverses tâches, perturbent la perception du temps, la perception visuelle et la

> Les effets du cannabis peuvent être dangereux si l'on conduit un véhicule moteur ou si l'on manœuvre certaines machines dangereuses

mémoire immédiate. Elles provoquent également une léthargie* et des troubles de la coordination des mouvements.

Ces effets peuvent être dangereux si l'on conduit un véhicule moteur ou si l'on manœuvre certaines machines dangereuses. Ils peuvent être amplifiés si le cannabis est mélangé à d'autres substances psychoactives*.

Selon la quantité consommée, la composition du produit et la sensibilité de l'usager, les principaux effets physiques du cannabis sont :

- → un gonflement des vaisseaux sanguins (yeux rouges)
- → une diminution de la salivation (bouche sèche)
- → une augmentation du rythme cardiaque (tachycardie)
- → une diminution de la pression artérielle en position debout (hypotension posturale)
- → une baisse du taux de sucre sanguin (hypoglycémie) contribuant vraisemblablement à l'augmentation de l'appétit, spécialement pour les aliments sucrés (fringales)

Sur le système nerveux central, le cannabis entraîne une faible libération de dopamine*.

Même si les effets nocifs du cannabis sur la santé sont, à certains égards, moins importants que ceux d'autres substances psychoactives, l'appareil respiratoire est exposé aux risques associés au fait de fumer du tabac (nicotine et goudrons toxiques), car le joint* est souvent composé d'un mélange de tabac et de cannabis. À poids égal, le cannabis fumé fournit 50 % plus de goudron qu'une marque populaire de tabac fort. En outre, la concentration de certains agents cancérigènes retrouvés dans le goudron de la marijuana est plus élevée que celle d'un même poids de goudron de tabac. Enfin, une cigarette de cannabis est habituellement inhalée plus profondément et retenue plus longtemps dans les poumons qu'une cigarette ordinaire. Ainsi, une cigarette de cannabis peut théoriquement causer autant de problèmes pulmonaires que 4 à 10 cigarettes ordinaires.

Certains effets, souvent mal perçus par la population et les consommateurs, ont des conséquences importantes et révèlent l'existence d'un abus* :

- → Le syndrome d'amotivation caractérisé par des difficultés de concentration, une perte d'intérêt et d'ambition, une diminution de la performance à l'école et au travail. Ce syndrome d'amotivation demeure controversé : la relation entre la consommation de cannabis et la baisse de la motivation, de la performance et de la réussite scolaire ou professionnelle n'est pas clairement établie dans la littérature scientifique.
- → La dépendance psychologique* parfois constatée lors d'une consommation régulière et fréquente : un abus* de cannabis peut favoriser l'apparition de troubles psychologiques.
- → Les risques sociaux pour l'usager et son entourage liés aux contacts avec des réseaux illicites* afin de se procurer le produit.

Une cigarette de cannabis peut théoriquement causer autant de problèmes pulmonaires que 4 à 10 cigarettes ordinaires

Une dépendance psychologique est parfois constatée lors d'une consommation régulière et fréquente : les préoccupations sont centrées sur l'obtention du produit et le désir de consommer

→ Chez certaines personnes plus vulnérables, le cannabis peut déclencher des hallucinations ou des modifications de perception et de prise de conscience d'elles-mêmes : dédoublement de la personnalité, sentiment de persécution. Ces effets peuvent se traduire par une forte anxiété.

Plusieurs études soulèvent un lien possible entre le cannabis et la schizophrénie* : certains chercheurs suggèrent que la consommation abusive de cannabis pourrait conduire à la schizophrénie, particulièrement chez les individus vulnérables (jeunes de 12 à 17 ans, prédisposition génétique, etc.).

CANNABIS ET DÉPENDANCE

On peut devenir dépendant du cannabis. Cependant, tous les individus ne sont pas égaux devant le risque de dépendance*. Celui-ci est fonction de plusieurs facteurs : habitudes de consommation, personnalité et antécédents de l'usager, influence de l'environnement, etc. Ainsi, certaines personnes auront plus de mal que d'autres à diminuer ou arrêter leur consommation, et sont donc plus vulnérables à la dépendance.

Comparativement à d'autres substances psychoactives illicites*, le cannabis entraîne généralement une dépendance psychologique* modérée et une dépendance physique* faible.

→ HISTORIQUE

Originaire des contreforts de l'Himalaya, le cannabis (ou chanvre indien) a été utilisé par l'homme depuis des millénaires en Extrême-Orient et au Moyen-Orient.

Cultivé pour ses fibres destinées à la fabrication de cordages, de papiers et de tissus, sa résine était utilisée autrefois comme médication pour soulager les spasmes, les troubles du sommeil et la douleur.

Introduit en Europe au début du XIXe siècle par les soldats de Bonaparte et par des médecins britanniques de retour des Indes, le cannabis fut utilisé en médecine pour le traitement des migraines, des douleurs diverses, des spasmes musculaires, de l'asthme, de l'arthrite et de l'épilepsie.

Aujourd'hui, les propriétés thérapeutiques du THC sont reconnues scientifiquement pour les utilisations suivantes :

- → stimulant de l'appétit chez les patients débilités souffrant de maladies telles que le sida et le cancer
- → contre les nausées et les vomissements associés à la chimiothérapie anticancéreuse
- → contre la douleur
- → antispasmodique et relaxant musculaire pour certaines maladies comme la sclérose en plaques et les lésions de la moelle épinière

Au Québec et au Canada, le cannabis demeure une drogue illégale.

Trois médicaments* dérivés du cannabis sont actuellement commercialisés au Québec et au Canada :

- → la nabilone ou Cesamet®, un analogue synthétique du THC, mis sur le marché en 1982
- → le dronabinol ou Marinol®, du THC synthétique, mis sur le marché en 1995
- → le mélange de THC et de cannabidiol ou Sativex®, approuvé conditionnellement le 19 avril 2005

En outre, dans certains cas très particuliers, et après autorisation de Santé Canada, la marijuana peut être utilisée à des fins médicales.

CANNABIS

LES CHIFFRES D'UNE RÉALITÉ QUÉBÉCOISE

→ D'après l'Enquête sur les toxicomanies* au Canada (ETC) menée en 2004[14], 46,4 % des Québécois de 15 ans et plus auraient consommé au moins une fois du cannabis au cours de leur vie. Ceci représente près de 2 800 000 de personnes.

→ D'après l'enquête de 2004[14], 15,8 % des Québécois de 15 ans et plus auraient consommé du cannabis au cours de l'année précédente. Ceci représente plus de 900 000 personnes.
Tendance statistique : ↑ de 7,2 % depuis 1994[17].

→ En 2004[5], une étude démontre que 35,5 % des élèves du secondaire (12 à 17 ans) ont consommé du cannabis au cours de la dernière année (35,5 % des garçons et 36,1 % des filles). Ceci représente près de 160 000 élèves du secondaire. Il est à noter que pour la première fois depuis 2000[6], plus de filles (36,1 %) que de garçons (35 %) ont consommé du cannabis.
Tendance statistique : ↓ de 1,5 % de 2000[6] à 2002[7],
puis ↓ de 3,6 % de 2002[7] à 2004[5].

→ Selon le fichier d'hospitalisation Med-Écho du Québec, 100 personnes furent hospitalisées en 2002[9] pour un diagnostic principal de dépendance au cannabis, dont 69 % étaient des hommes.

→ Selon une analyse des statistiques, 65 % des auteurs présumés d'infractions relatives aux drogues et aux stupéfiants* sont reliés aux infractions sur le cannabis en 2003[18] :
– 7 888 pour possession de cannabis
– 1 351 pour sa possession aux fins de trafic
– 1 101 pour son trafic
– 1 174 pour sa culture

→ Dans le cas de la possession, près de la moitié des auteurs présumés sont mineurs, dont 1 071 ont 14 ans et moins.

→ Pour le trafic, 14 % des auteurs présumés ont 14 ans et moins et 31 % entre 15 et 17 ans.

→ Pour la culture de cannabis, 78 % ont 25 ans et plus.

→ Au 1er septembre 2006, 1 492 patients Canadiens (dont 154 Québécois) détenaient une autorisation de possession de marijuana séchée en vertu du *Règlement sur l'accès à la marijuana à des fins médicales.* Le nombre de médecins qui avaient appuyé cette autorisation de possession était de 917 au Canada dont 81 au Québec.

QUE PRÉVOIT LA LOI ?

→ Depuis 1997, le cannabis (marijuana, haschich et dérivés) est régi par la *Loi réglementant certaines drogues et autres substances*. Selon les quantités impliquées, il est inscrit aux annexes II, VII et VIII de cette loi (voir page 173).

→ Selon cette loi, la possession non autorisée, le trafic, la possession en vue d'en faire le trafic, la production, l'importation et l'exportation sont illégaux.

→ Depuis le 30 juillet 2001, le *Règlement sur l'accès à la marijuana à des fins médicales* (RAAM) permet à certains patients québécois et canadiens atteints de maladies graves d'être admissibles à la consommation thérapeutique de marijuana. Après approbation obligatoire d'un médecin et autorisation de Santé Canada, certaines catégories de patients peuvent consommer la marijuana à des fins médicales. Ces patients peuvent aussi obtenir un permis pour la cultiver ou désigner quelqu'un qui le fait à leur place.

→ À deux reprises, en 2003 et 2004, le gouvernement du Canada a déposé à la Chambre des communes un projet de réforme législative qui moderniserait l'application de la loi.

Cette réforme de la loi s'articulerait sur trois points :

→ des peines moins sévères pour possession de petites quantités de cannabis : pas de dossier criminel mais une contravention

→ des peines plus sévères dans le cas de culture illégale de quantités importantes de cannabis

→ pas de modifications des peines actuelles reliées au trafic du cannabis

Ces deux versions des projets de loi n'ont jamais été adoptées.

La psilocybine se retrouve dans environ 40 espèces de champignons

CHAMPIGNONS **MAGIQUES** ET **PSILOCYBINE**

LA PSILOCYBINE, QU'EST-CE QUE C'EST ET À QUOI ÇA RESSEMBLE ?

La psilocybine est un **perturbateur** du système nerveux central. Elle est présente dans ce qu'on appelle les champignons magiques, des champignons de la famille des Psilocybes (les plus connus), des Stropharia et des Panaeolus. Ces champignons peuvent être consommés par voie orale, soit mâchés et avalés frais ou secs, soit incorporés dans une préparation culinaire. La dose hallucinogène typique est de 4 à 10 mg, ce qui correspond à 2 à 40 champignons selon les variétés disponibles.

EFFETS ET DANGERS DE LA PSILOCYBINE

La psilocybine est un hallucinogène environ 10 fois moins puissant que le LSD. Les effets de la psilocybine durent approximativement 3 à 6 heures et disparaissent habituellement en 12 heures. Des hallucinations peuvent parfois être ressenties jusqu'à quatre jours après l'ingestion.

PSILOCYBINE ET DÉPENDANCE

Il n'y a pas d'études démontrant que la psilocybine entraîne une dépendance physique* ou psychologique.

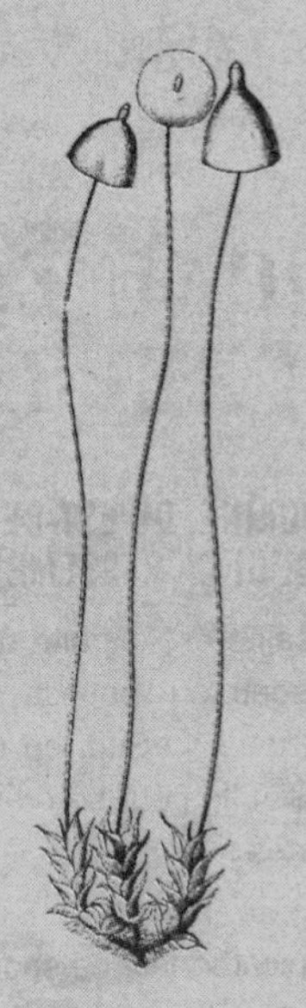

CHAMPIGNONS

LES **CHIFFRES** D'UNE RÉALITÉ QUÉBÉCOISE

→ D'après une étude effectuée en 2002[20] auprès de Montréalais participant à des *parties rave**, 70 % de ces derniers ont consommé de la psilocybine au cours de leur vie.

→ Selon une étude menée en 2003[17] auprès des jeunes de la rue de Montréal (14-23 ans), 82,9 % de ces jeunes ont déclaré avoir fait usage de la psilocybine au moins une fois dans leur vie.

PRODUIT **ILLICITE**

QUE PRÉVOIT LA LOI ?

→ La psilocybine est inscrite à l'annexe III de la *Loi réglementant certaines drogues et autres substances.*

→ La possession, le trafic, la possession en vue d'en faire le trafic, la production, l'importation et l'exportation sont illégaux.

Avec la cocaïne tout augmente, la consommation et les risques aussi

COCAÏNE, CRACK ET FREEBASE

LA COCAÏNE, QU'EST-CE QUE C'EST ET À QUOI ÇA RESSEMBLE ?

La cocaïne est extraite des feuilles du coca, un arbrisseau qui pousse dans diverses régions d'Amérique du Sud, en Indonésie et dans l'Est africain. Elle peut se présenter sous les formes suivantes :

→ **La pâte** : elle provient d'un mélange contenant du bicarbonate de sodium et de l'eau. Elle est vendue dans les rues d'Amérique du Sud et elle est généralement fumée. Des trois formes de cocaïne présentées ici, la pâte est la moins pure.

→ **Le sel** (chlorhydrate de cocaïne) : c'est une fine poudre cristalline blanche, sans odeur et à saveur anesthésique. Elle peut être prise par voie orale, intranasale (reniflée) ou elle peut être injectée. Elle ne peut pas être fumée car elle est détruite en grande partie par la chaleur. C'est la forme purifiée.

→ **La cocaïne-base** (base libre ou *freebase*) : c'est un solide cireux blanc, jaunâtre ou grisâtre. Elle peut être fumée ou prisée. Elle ne peut pas être injectée car elle n'est pas soluble dans l'eau. Elle peut aussi être appelée *crack* (à cause du craquement produit lorsqu'elle est fumée) ou *rock* (sous forme de petites roches blanches ou jaunâtres). C'est la forme de cocaïne la plus pure.

Ainsi, selon la forme, la cocaïne peut être consommée par voie orale, intranasale (la ligne de coke est reniflée) injectée par voie intraveineuse ou fumée.

La cocaïne est extraite des feuilles de coca préalablement séchées

La cocaïne est fréquemment mélangée à d'autres substances, ce qui peut accroître sa dangerosité et potentialiser les effets et les interactions avec des produits dont on ne connaît pas la nature.

EFFETS ET DANGERS DE LA COCAÏNE

La cocaïne est un **stimulant** majeur du système nerveux central. Son usage provoque une euphorie* fébrile, un sentiment de puissance intellectuelle et physique, une suppression de la fatigue, de l'appétit et de la douleur, ainsi qu'une diminution des besoins de sommeil. Cet état de stimulation est souvent accompagné d'une certaine agitation et d'anxiété.

Après la période d'euphorie, une sensation de malaise (dysphorie), accompagnée d'anxiété s'installe. Cet état pousse le consommateur à répéter la prise* selon un horaire plus ou moins régulier (ex. : une ligne aux 30 minutes). Au fur et à mesure que la consommation progresse, l'anxiété et l'agitation augmentent. L'usager a alors souvent recours à la prise simultanée d'alcool, d'anxiolytiques*, de sédatifs* ou de cannabis pour réduire ces symptômes* ou pour trouver le sommeil.

Sur le plan du comportement, la cocaïne peut aussi causer la méfiance, la colère, l'altération du jugement, la perturbation du fonctionnement

Environ les deux tiers des cocaïnomanes ont des idées délirantes et se sentent persécutés

social ou professionnel et la psychose toxique. Cette psychose toxique peut s'accompagner d'une perturbation de l'appréciation de la réalité, de délire et d'hallucinations.

La cocaïne peut aussi conduire à des actes violents, du fait de ses effets perturbateurs sur le comportement. Certains crimes commis sous l'influence de la cocaïne se caractérisent par leur grande violence.

Sur le système nerveux central, la cocaïne agit en empêchant le recaptage de la dopamine* dans les terminaisons présynaptiques. Ce faisant, elle augmente la présence et donc l'effet de la dopamine dans le système hédonique du cerveau (système relié à la sensation de plaisir).

La cocaïne provoque :

→ une contraction de la plupart des vaisseaux sanguins. Les tissus, insuffisamment irrigués, s'appauvrissent et, par conséquent, meurent. C'est souvent le cas de la cloison nasale qui peut même être perforée chez ceux qui inhalent ou reniflent régulièrement la cocaïne.

→ des troubles du rythme cardiaque et une hypertension artérielle. Ils peuvent être à l'origine d'accidents cardiovasculaires, notamment chez des personnes fragiles ou celles qui consomment de fortes quantités de tabac ou de cannabis.

→ chez les personnes plus sensibles, ou lors de la consommation de doses importantes, la cocaïne peut provoquer des troubles psychologiques, une grande instabilité de l'humeur, des délires paranoïdes*, des hallucinations (surtout auditives) ou des attaques de panique. De plus, la cocaïne provoque parfois une psychose toxique, laquelle est caractérisée par une perte de contact avec la réalité. Le comportement de l'individu intoxiqué devient alors imprévisible et potentiellement dangereux.

→ une augmentation de l'activité psychique et, par conséquent, des insomnies, des phases d'excitation et des pertes de mémoire.

Une autre caractéristique de la cocaïne est de lever les inhibitions, ce qui peut conduire à commettre des actes de violence, des agressions sexuelles, des dépenses compulsives, etc. La sensation de toute-puissance entraînée par la cocaïne en fait un produit qui facilite le passage à l'acte pour divers comportements indésirables ou même criminels.

Par ailleurs, les accessoires utilisés pour renifler peuvent transmettre les virus des hépatites A, B et C s'ils sont partagés entre plusieurs utilisateurs. En cas d'injection, le matériel partagé peut aussi transmettre les virus du sida et des hépatites B et C.

COCAÏNE ET DÉPENDANCE

Stimulant puissant, la cocaïne provoque une forte dépendance psychologique*.

Stimulant puissant, la cocaïne provoque une forte dépendance psychologique

Il est alors très difficile de cesser une consommation de cocaïne, tant la nécessité d'en reprendre est importante. L'apaisement, même avec la consommation d'une autre substance, est très difficile.

Erythroxylon Coca.

ORIGINAIRE DES ANDES, LE COCA EST UN ARBRISSEAU CULTIVÉ EN AMÉRIQUE DU SUD, EN INDONÉSIE ET DANS L'EST AFRICAIN.

Dans les sociétés précolombiennes, la coca servait de plante médicinale, de drogue stimulante, d'objet rituel et de moyen de paiement pour les impôts.

Dans les pays andins, les feuilles de coca sont consommées sous forme d'une chique que l'on mastique pendant quelques heures. Cette utilisation entraîne chez le consommateur une diminution des sensations de faim, de fatigue et de froid.

Au début du XVIe siècle, les conquérants espagnols donnèrent ce stimulant aux peuples indigènes qui travaillaient dans les mines.

En 1865, William Lossen détermine la structure chimique de la cocaïne. Plus tard, des dérivés de la cocaïne sont utilisés pour diverses applications médicales. Dès 1880, la cocaïne devient populaire aux États-Unis et en Europe et elle est utilisée dans diverses boissons toniques, dont le Coca-Cola. À la suite de nombreux problèmes de santé, la vente de cocaïne est sévèrement réglementée à partir de 1906.

Depuis des décennies, la consommation de cocaïne s'est progressivement répandue, notamment sous l'influence des cartels de trafiquants sud-américains.

LE CRACK,
UN DÉRIVÉ DE LA COCAÏNE

Le *crack* est un mélange de cocaïne, de bicarbonate de sodium et/ou d'ammoniaque, qui se présente sous la forme de petits cailloux. Il peut aussi être appelé *freebase* ou *rock*. L'usager en inhale la fumée après les avoir chauffés. Cette opération provoque des craquements, d'où son nom.

Les effets du crack sont semblables à ceux de la cocaïne injectée

Ce mode de consommation provoque des effets immédiats et beaucoup plus intenses que ceux de la cocaïne reniflée : le produit arrive plus rapidement au cerveau, la durée de l'effet euphorisant* est plus brève et la descente* est beaucoup plus désagréable. Ses effets sont semblables à ceux de la cocaïne injectée.

L'usage régulier de *crack* peut entraîner :

→ des dommages rapides sur le cerveau
→ des comportements violents
→ des épisodes paranoïdes et des hallucinations
→ des idées suicidaires
→ des états d'épuisement physique et psychique avec une altération de la condition générale
→ de graves altérations des fonctions cardiaques ou respiratoires
→ des arrêts cardiaques ou respiratoires
→ des lésions cutanées (aux mains et aux lèvres) liées aux pratiques de consommation

La dépendance à la cocaïne est difficile à surmonter

Sa consommation régulière crée rapidement une forte dépendance psychologique* et une neurotoxicité* (dégénérescence des neurones) très importante.

Les usagers, même après avoir cessé d'en consommer, restent souvent et longtemps (plusieurs mois) soumis à des altérations de l'humeur et à un désir très important de reprise de la drogue *(craving)* à l'origine de fréquents épisodes de rechute.

La dépendance* à la cocaïne est difficile à surmonter : il n'existe pas de traitement de substitution* comme celui qui existe pour les opiacés*. La prise en charge fait appel à des techniques variées (traitements antidépresseurs, thérapies de groupes ou individuelles, approches motivationnelles, etc.). Elle doit dans tous les cas s'appuyer sur un accompagnement long et continu.

COCAÏNE

LES CHIFFRES D'UNE RÉALITÉ QUÉBÉCOISE

→ Selon les résultats de l'Enquête sur les toxicomanies au Canada (ETC) menée en 2004[14], 12,2 % des Québécois de 15 ans et plus auraient consommé au moins une fois de la cocaïne au cours de leur vie. Ceci représente plus de 700 000 personnes.

→ D'après cette enquête de 2004[14], 2,5 % des Québécois de 15 ans et plus auraient consommé de la cocaïne au cours de l'année précédente. Ceci représente près de 150 000 personnes.
Tendance statistique : ↑ de 1,6 % depuis 1998[2].

→ En 2004[5], une étude démontre que 5 % des élèves du secondaire (12 à 17 ans) ont consommé de la cocaïne au cours de la dernière année (5,1 % des garçons et 4,9 % des filles). Ceci représente près de 22 000 élèves du secondaire.
Tendance statistique : stabilisation depuis 2000[6].

→ Selon une étude menée en 2003[17] auprès des jeunes de la rue de Montréal (14-23 ans), 11,2 % de ces jeunes ont déclaré que la cocaïne est la drogue qu'ils ont le plus souvent consommée au cours des six derniers mois et 81,9 % en ont fait usage au moins une fois dans leur vie.

→ Selon le fichier d'hospitalisation Med-Écho, 328 personnes furent hospitalisées qu Québec en 2002[9] pour un diagnostic principal de dépendance à la cocaïne, dont 59 % sont des hommes.

→ À Montréal, le Coroner a identifié dans les analyses toxicologique menées entre 1999 et 2002[19], la présence de cocaïne chez 76 % des 121 personnes décédées par intoxications* accidentelles mortelles, ce qui la place en premier lieu parmi les substances identifiées.

→ Selon une analyse des statistiques de 2003[18], 21 % des auteurs présumés d'infractions relatives aux drogues et aux stupéfiants* sont reliés aux infractions sur la cocaïne. Ces infractions se classent au second rang après le cannabis et se répartissent comme suit :
- 819 auteurs présumés pour possession de cocaïne
- 532 pour sa possession aux fins de trafic
- 612 pour son trafic

→ Pour le *crack*, on compte en 2003[18] :
- 112 auteurs présumés de possession de *crack*
- 101 pour sa possession aux fins de trafic
- 209 pour son trafic

PRODUIT
ILLICITE

QUE PRÉVOIT LA LOI ?

→ La cocaïne est inscrite à l'annexe I de la *Loi réglementant certaines drogues et autres substances.*

→ La possession, le trafic, la possession en vue d'en faire le trafic, la production, l'importation et l'exportation sont illégaux.

ECSTASY

Pilules-performances, pilules-fêtes, potions magiques ? L'ecstasy est de plus en plus répandue dans le monde. Le point sur un produit dont les dangers ont été sous-estimés

L'apparition massive de l'ecstasy est notamment associée à l'émergence du mouvement musical techno et des *parties rave**. Au cours d'une soirée, l'usager peut danser de façon continue et répétitive pendant des heures. Aujourd'hui, ce produit est consommé dans d'autres lieux festifs tels que les boîtes de nuit, les bars, etc.

L'ECSTASY, QU'EST-CE QUE C'EST ?

L'ecstasy désigne un produit (comprimé, gélule, poudre) constitué par une molécule de la famille chimique des amphétamines, la MDMA (méthylènedioxyméthamphétamine). La MDMA produit des effets à la fois stimulants et hallucinogènes. La composition d'un comprimé présenté comme étant de l'ecstasy est souvent incertaine.

La molécule MDMA n'est pas toujours présente dans l'ecstasy ou peut être mélangée à d'autres substances : amphétamines (dont la méthamphétamine), hallucinogènes (LSD, PCP, kétamine, nexus, etc.), autres stimulants (caféine, éphédrine), anabolisants ou analgésiques* (aspirine). L'ecstasy peut également être coupée avec de l'amidon, des détergents, du savon, etc.

La composition d'un comprimé présenté comme étant de l'ecstasy est souvent incertaine et il peut contenir plusieurs autres produits dont d'autres amphétamines

L'ECSTASY, À QUOI ÇA RESSEMBLE ?

L'ecstasy ou MDMA se présente généralement sous la forme de comprimés de couleurs et de formes diverses où sont souvent gravés des motifs variés (cœur, étoile, papillon, trèfle, etc.). Ces logos ne garantissent pas la qualité ni la

L'ecstasy est le prototype des hallucinogènes stimulants, c'est-à-dire des psychotropes ayant à la fois des effets hallucinogènes et stimulants

pureté du produit. Elle est principalement consommée par voie orale. Dans certains cas, elle est prisée, fumée ou même injectée par voie intraveineuse. Les doses de MDMA peuvent varier de 10 à 150 mg par comprimé, entraînant de ce fait, des variations importantes des effets du produit.

EFFETS ET DANGERS DE L'ECSTASY

L'ecstasy est le prototype des hallucinogènes stimulants, c'est-à-dire des psychotropes* ayant à la fois des effets hallucinogènes et stimulants. Bien qu'elle fasse partie des **perturbateurs** du système nerveux central pour ses effets hallucinogènes, la MDMA est un dérivé des amphétamines qui se caractérisent par leurs propriétés stimulantes.

Les effets stimulants prédominent dans l'ecstasy et provoquent une excitation, accompagnée d'un sentiment de puissance physique et mentale, ainsi qu'une suppression de la fatigue, de la faim et de la douleur. Ses effets hallucinogènes sont relativement faibles et ne se produisent généralement qu'à des doses élevées.

L'ecstasy provoque tout d'abord une légère anxiété, une augmentation de la tension artérielle, une accélération du rythme cardiaque et la contraction des muscles de la mâchoire ; la peau devient moite, la bouche sèche. Par la suite, l'usager ressent une sensation d'euphorie*, une relaxation, une diminution de la sensation de fatigue, une plus grande confiance en lui-même et moins d'inhibitions. Ceci s'accompagne d'une exacerbation des sens, d'une plus grande expression des émotions et d'une meilleure communication avec autrui.

Dans un contexte permettant les échanges verbaux, le consommateur éprouve une sensation de liberté dans ses relations avec les autres. Il a l'impression de mieux se comprendre lui-même, de s'accepter et de mieux accepter les autres. Il manifeste aussi une aptitude accrue à l'introspection et à voir clair en lui-même (effet entactogène), ainsi que la capacité de se mettre à la place des autres et comprendre ce qu'ils ressentent (effet empathogène).

Cette phase de sensations agréables est généralement suivie d'une phase où l'individu devient fatigué, triste, déprimé et de mauvaise humeur. Elle peut s'accompagner de cauchemars et d'états de panique. Il arrive que l'individu ressente des états d'anxiété ou que son état dépressif nécessite une consultation médicale, trois ou quatre jours après avoir pris de l'ecstasy.

Il arrive que l'individu ressente des états d'anxiété ou que son état dépressif nécessite une consultation médicale, trois ou quatre jours après avoir pris de l'ecstasy

Une consommation régulière et fréquente amène certains usagers à maigrir et à s'affaiblir ; l'humeur devient instable, entraînant parfois des comportements agressifs. Cette consommation peut révéler ou entraîner des troubles psychologiques graves et durables.

Les risques de complications semblent augmenter avec la dose, la composition du produit et la vulnérabilité de l'usager

Au cours d'une même soirée, l'utilisateur d'ecstasy peut danser de façon continue pendant des heures, provoquant ainsi une déshydratation de l'organisme et une hausse importante de la température corporelle, d'où la nécessité de maintenir une hydratation suffisante et de s'aérer. Il est important de boire régulièrement de petites quantités de liquide, d'uriner fréquemment et de s'accorder des pauses à intervalles réguliers.

L'ecstasy peut entraîner de la tachycardie (accélération du rythme cardiaque), des arythmies cardiaques, de l'hypertension artérielle et divers troubles cardiovasculaires. Ces problèmes peuvent être sérieux chez les personnes prédisposées. Du fait de sa toxicité* sur le foie, l'ecstasy peut aussi provoquer des hépatites, parfois très graves, chez les usagers réguliers.

En cas d'association de l'ecstasy avec d'autres substances, les effets indésirables peuvent être accrus. Les risques de complications semblent augmenter avec la dose, la composition du produit et la vulnérabilité de l'usager.

Les personnes qui suivent un traitement médical s'exposent à des effets dangereux, à cause des interactions médicamenteuses qui risquent de se produire, notamment avec le sildénafil (Viagra®), certains médicaments* contre le sida (ex. : Ritonavir® ou Norvir®) et plusieurs antidépresseurs.

La consommation d'ecstasy est particulièrement dangereuse pour les personnes qui souffrent de troubles du rythme cardiaque, d'asthme, d'épilepsie, de problèmes rénaux, de diabète, d'asthénie (fatigue importante) et de problèmes psychologiques.

LA TOXICITÉ NEUROLOGIQUE DE L'ECSTASY EST ACTUELLEMENT ÉVALUÉE CHEZ L'HUMAIN

Les travaux scientifiques, principalement réalisés chez l'animal (en particulier les primates), démontrent une dégénérescence des cellules nerveuses, en particulier des neurones à dopamine* et à sérotonine. Ces atteintes cérébrales peuvent accroître les risques de développer des affections neuropsychiatriques impliquant une déficience en dopamine ou en sérotonine. Ces effets pourraient ne se manifester chez l'humain que plusieurs années après la consommation d'ecstasy.

La consommation d'ecstasy pourrait entraîner à long terme des maladies dégénératives du système nerveux central ou des troubles pouvant causer, entre autres, une dépression. Cela s'explique par les perturbations cérébrales provoquées par la substance.

ECSTASY ET DÉPENDANCE

La tolérance* à l'ecstasy semble se manifester rapidement. Ainsi, après une consommation répétée, il devient difficile, voire impossible, de ressentir à nouveau les premiers effets.

Chez certains usagers, l'ecstasy peut provoquer une dépendance psychologique

Le désir de retrouver ces effets initiaux amène l'utilisateur à augmenter les doses et ainsi accroître les risques liés à la consommation du produit.

Chez certains usagers, l'ecstasy peut provoquer une dépendance psychologique*. En ce qui concerne la dépendance physique*, les appréciations varient selon les experts. Compte tenu du fait que la majorité des consommateurs prennent cette drogue de façon sporadique, la dépendance est peu marquée. Très peu de cas de dépendance spécifique à l'ecstasy sont rapportés dans la littérature. Les problèmes surgissent surtout après la consommation de doses importantes prises sur une courte période de temps (au cours de la même journée ou de la même soirée).

DROGUES DE SYNTHÈSE

Les drogues de synthèse, appelées *designer drugs*, dont fait partie l'ecstasy, sont fabriquées par des chimistes dans des laboratoires clandestins. Pour éviter de tomber sous le coup de la loi, ces trafiquants créent des nouveaux produits en modifiant les molécules, d'où l'arrivée sur le marché de ces nouvelles drogues. La modification de la formule chimique de ces produits permet d'obtenir une nouvelle molécule ayant des propriétés semblables ou de nouvelles propriétés.

La production illicite* d'ecstasy vient principalement d'Europe. Cependant, depuis peu, des laboratoires clandestins se développent en Amérique du Nord, notamment au Québec.

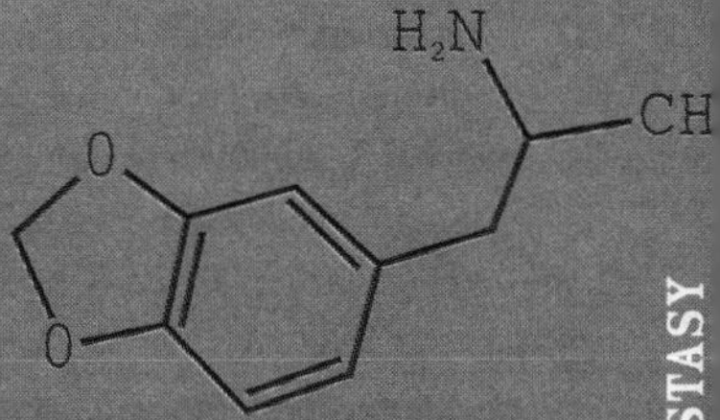

→ HISTORIQUE

La MDMA a été synthétisée par les laboratoires pharmaceutiques Merck en 1912, afin de produire un nouvel anorexigène*. Elle a aussi été utilisée dans un but militaire : il s'agissait d'amplifier certains effets des amphétamines.

L'ecstasy n'a jamais obtenu d'autorisation de mise en marché. Au cours des années 1970 et 1980, elle a été étudiée comme adjuvant à la psychothérapie en remplacement du LSD. À partir des années 1970, aux États-Unis et plus récemment en Europe et au Canada, l'ecstasy est utilisée à des fins récréatives lors de soirées de musique techno et des *parties rave**.

De nos jours, l'ecstasy demeure une substance très controversée. Certains psychologues croient qu'elle peut être un adjuvant* à la psychothérapie, permettant d'aider certaines personnes à exprimer leurs émotions, particulièrement avec les individus qui souffrent de stress post-traumatique. Ainsi, des essais cliniques sont actuellement conduits dans divers pays en rapport avec cette application possible de l'ecstasy.

ECSTASY

LES CHIFFRES D'UNE RÉALITÉ QUÉBÉCOISE

→ D'après l'Enquête sur les toxicomanies au Canada (ETC) menée en 2004[14], 3,7 % des Québécois de 15 ans et plus auraient consommé au moins une fois de l'ecstasy au cours de leur vie. Ceci représente plus de 215 000 personnes.

→ D'après une étude effectuée en 2002[20] auprès de Montréalais participant à des *parties rave**, 65,2 % de ces derniers ont consommé de l'ecstasy au cours de leur vie et 59,3 % au cours de l'année précédente.

→ Selon une étude menée en 2003[17] auprès des jeunes de la rue de Montréal (14-23 ans), 48,3 % de ces jeunes ont déclaré avoir fait usage de l'ecstasy au moins une fois dans leur vie.

→ Selon l'enquête ETC effectuée en 2004[14], 1,1 % des Québécois de 15 ans et plus auraient consommé de l'ecstasy au cours de l'année précédente. Ceci représente plus de 65 000 personnes.

→ En 2004[5], une étude démontre que 6 % des élèves du secondaire (12 à 17 ans) ont consommé de l'ecstasy au cours de la dernière année (5,4 % des garçons et 6,6 % des filles). Ceci représente plus de 26 000 élèves du secondaire.

PRODUIT
ILLICITE

QUE PRÉVOIT LA LOI ?

→ L'ecstasy est inscrite à l'annexe III de la *Loi réglementant certaines drogues et autres substances.*

→ La possession, le trafic, la possession en vue d'en faire le trafic, la production, l'importation et l'exportation sont illégaux.

anxiolytiques* et antidépressives. Les effets recherchés traduisent parfois un malaise psychique, une souffrance, un besoin d'oubli.

Lors d'un usage répété, le plaisir intense des premières consommations ne dure en général que quelques semaines

Injectée, l'effet immédiat de l'héroïne est de type orgasmique. C'est le *rush**. Il est suivi d'une sensation d'euphorie et de somnolence, accompagnée parfois de nausées, de vertiges, ainsi que d'un ralentissement du rythme cardiaque et respiratoire.

Lors d'un usage répété, le plaisir intense des premières consommations ne dure en général que quelques semaines. Cette phase est souvent suivie d'un besoin d'augmenter la quantité utilisée et la fréquence de la consommation. La place alors accordée à cette consommation est telle qu'elle modifie totalement la vie quotidienne de l'usager.

Des troubles peuvent apparaître, incluant la sédation, la somnolence et l'anorexie.

Le surdosage* (surdose ou *overdose**) de l'héroïne provoque une dépression respiratoire, une perte de connaissance et éventuellement la mort. Ce type de décès touche environ 1 % des héroïnomanes par année.

L'injection entraîne des risques d'infection (notamment par les virus du sida et des hépatites B et C) si l'usager ne se sert pas d'un matériel d'injection stérile, à usage unique.

À partir de 1985, une approche de réduction des méfaits* s'est développée pour éviter la contamination des usagers par le virus du sida

Les mesures préventives suivantes ont été prises :

→ la mise en vente libre des seringues en 1987

→ la mise en œuvre de programmes d'échange de seringues (ex. : organisme Cactus à Montréal)

→ la diffusion de trousses de prévention

Cette politique a entraîné une baisse significative de la contamination par le virus du sida.

Diverses études montrent que les partages de seringues et le nombre de contaminations par le virus du sida ont diminué chez les usagers de drogue par voie intraveineuse.

Le nombre de personnes contaminées par le virus de l'hépatite C et par le VIH demeure important : il touche environ 20 % des usagers qui s'injectent des drogues par voie intraveineuse.

HÉROÏNE ET DÉPENDANCE

La dépendance* à l'héroïne s'installe rapidement dans la majorité des cas. L'héroïnomane alterne entre des états d'euphorie* ou de soulagement (lorsqu'il est sous l'effet de l'héroïne) et des états de manque* qui provoquent de l'anxiété, de l'agitation et plusieurs symptômes* physiques.

La dépendance à l'héroïne s'installe rapidement dans la majorité des cas

Les dépendances physique* et psychologique* à l'héroïne sont très fortes.

Le sevrage* à l'héroïne débute 6 à 12 heures après la prise de la dernière dose et se traduit par des symptômes ressemblant à ceux d'une grippe accompagnés d'anxiété et de bâillements.

Par la suite, l'individu manifeste un sommeil agité qui persiste plusieurs heures. Le sevrage atteint son paroxysme après 36 à 72 heures : il éprouve alors des problèmes gastro-intestinaux graves, ses pupilles sont dilatées et il a la chair de poule. Ces manifestations s'accompagnent d'un désir obsédant* de consommer à nouveau cette drogue. L'anxiété, l'insomnie, l'agressivité, le délire paranoïde*, l'accélération cardiaque et l'hypertension peuvent aussi être observés. Une grande partie de ces symptômes se résorbe en 5 à 10 jours.

La dépendance à l'héroïne entraîne des risques sociaux importants. Elle enclenche un processus de marginalisation sociale chez plusieurs usagers.

La dépendance à l'héroïne entraîne des risques sociaux importants. Elle enclenche un processus de margina-lisation sociale chez plusieurs usagers

→ HISTORIQUE

En 1888, un chimiste allemand préconise l'emploi de l'héroïne synthétisée pour soigner la tuberculose.

Médication héroïque, elle est considérée comme susceptible de se substituer à la morphine dans le traitement des douleurs et de la toux. Rapidement, son utilisation devient abusive. Aux États-Unis, on estimait à près de 500 000 le nombre de personnes dépendantes à l'héroïne à la veille de la Première Guerre mondiale.

En 1923, la Société des Nations déclare le produit dangereux et de faible intérêt thérapeutique. En 1924, l'utilisation non médicale de l'héroïne est prohibée aux États-Unis. Elle y sera totalement bannie en 1956.

HÉROÏNE

LES CHIFFRES D'UNE RÉALITÉ QUÉBÉCOISE

→ Selon l'Enquête sociale et de santé de 1998[2], environ 0,1 % des Québécois de 15 ans et plus ont consommé de l'héroïne et de la morphine au cours de l'année précédente.

→ En 2004[5], une étude démontre que 1,3 % des élèves du secondaire (12 à 17 ans) ont consommé de l'héroïne au cours de la dernière année (1,5 % des garçons et 1,1 % des filles).
Tendance statistique : stabilisation **depuis 2000[6].**

→ Selon une étude menée en 2003[17] auprès des jeunes de la rue de Montréal (14-23 ans), 7,4 % de ces jeunes ont déclaré que l'héroïne est la drogue qu'ils ont le plus souvent consommée au cours des six derniers mois et 41,9 % en ont fait usage au moins une fois dans leur vie.

→ À Montréal, le Coroner a identifié dans les analyses toxicologiques menées entre 1999 et 2002[19], la présence d'héroïne chez 52,9 % des 121 personnes décédées par intoxications* accidentelles mortelles, ce qui la place en deuxième lieu après la cocaïne parmi les substances identifiées.
Tendance statistique : à Montréal ↓ **de** 29,5 % des personnes décédées par intoxications accidentelles mortelles chez lesquelles le Coroner a identifié de l'héroïne ou de la morphine, passant de 27 cas en 1999 à 8 cas en 2002[19].

→ D'après les données de surveillance des programmes d'accès au matériel d'injection stérile de Montréal-Centre, le nombre de seringues distribuées gratuitement, est passé de 770 000 en 1999 à 790 000 en 2003[21]. Par contre, le pourcentage de seringues récupérées a diminué, passant de 86,4 % en 1999 (665 280) à 75,3 % en 2003 (594 870)[21].

→ Selon une analyse des statistiques de 2003[18], 61 auteurs présumés d'infractions sont reliés aux infractions sur l'héroïne et se répertorient comme suit :
- 19 pour possession d'héroïne
- 24 pour sa possession aux fins de trafic
- 18 pour son trafic

PRODUIT
ILLICITE

QUE PRÉVOIT LA LOI ?

→ L'héroïne est inscrite à l'annexe I de la *Loi réglementant certaines drogues et autres substances.*

→ La possession, le trafic, la possession en vue d'en faire le trafic, la production, l'importation et l'exportation sont illégaux.

La kétamine est un anesthésique vétérinaire développé en 1962. Les mélanges avec d'autres drogues peuvent produire un cocktail explosif

KÉTAMINE

LA KÉTAMINE, QU'EST-CE QUE C'EST ET À QUOI ÇA RESSEMBLE ?

La kétamine est un **perturbateur** du système nerveux central, proche parent de la phencyclidine (PCP). Connue sous les appellations Spécial K, Vitamine K, Ket, Ketty, etc., elle est parfois vendue en comprimés ou en capsules sous le pseudonyme ecstasy.

Les formes vendues illégalement comprennent la poudre blanche (soluble dans l'eau et l'alcool), les comprimés, les capsules, les cristaux et la forme liquide (solution en fiole). La kétamine peut être prise par voie orale, injectée, prisée ou fumée. Les doses sont variables et oscillent généralement entre 5 et 500 mg selon la voie employée et les habitudes de consommation.

EFFETS ET DANGERS DE LA KÉTAMINE

La kétamine est souvent utilisée dans les expériences de dissociation entre le corps et l'esprit et de voyages aux frontières de la mort.

La kétamine provoque des effets hallucinogènes plus courts et moins intenses que le PCP. Ses effets durent environ une heure. À faible dose, elle est souvent associée à des stimulants, afin de reproduire les effets stimulants et hallucinogènes de l'ecstasy. Elle possède aussi des propriétés anesthésiques* et analgésiques*.

L'utilisation illicite* de la kétamine est dangereuse en raison des effets entraînés tels que :

- → perte de connaissance accompagnée de vomissements et risque d'asphyxie par invasion pulmonaire des vomissements
- → troubles psychologiques (anxiété, attaques de panique), neurologiques (paralysies temporaires) et psychiatriques (psychose toxique)
- → troubles digestifs (nausées, vomissements)

En cas de surdosage*, il y a risque d'arrêt respiratoire et de défaillance cardiaque. Consommée régulièrement, la kétamine entraîne une tolérance* très forte et peut conduire à une dépendance physique* et psychologique*.

Consommée régulièrement, la kétamine entraîne une tolérance très forte et peut conduire à une dépendance physique et psychologique

KÉTAMINE
LES CHIFFRES D'UNE RÉALITÉ QUÉBÉCOISE

- → D'après une étude effectuée en 2002[20] auprès de Montréalais participant à des *parties rave**, 13,8 % de ces derniers ont consommé de la kétamine au cours de leur vie.

PRODUIT **ILLICITE**

QUE PRÉVOIT LA LOI ?

- → Depuis 2005, la kétamine est une substance contrôlée en vertu de l'annexe I de la *Loi réglementant certaines drogues et autres substances.* Compte tenu de ses propriétés hallucinogènes, une surveillance étroite est exercée sur cette substance.
- → La possession, le trafic, la possession en vue d'en faire le trafic, la production, l'importation et l'exportation, sont illégaux.

Le LSD, un hallucinogène aux effets très puissants

LSD

LE LSD, QU'EST-CE QUE C'EST ET À QUOI ÇA RESSEMBLE ?

Le LSD ou diéthylamide de l'acide lysergique est obtenu à partir de l'ergot de seigle, un champignon parasite du seigle et d'autres céréales.

Il se présente sous la forme de petits morceaux de buvards (papiers imprégnés d'une goutte d'une solution de LSD), de comprimés, d'une micropointe (ressemblant à un bout de mine de crayon) ou, plus rarement, sous forme liquide. Une dose, qui permet de faire ce qu'on appelle un *trip** d'acide, contient entre 50 et 400 microgrammes de LSD.

EFFETS ET DANGERS DU LSD

Le LSD est un hallucinogène puissant qui fait partie des **perturbateurs** du système nerveux central. Il entraîne des modifications sensorielles intenses, provoque des hallucinations, des fous rires incontrôlables et des délires. Ces effets, très puissants sur le cerveau, sont variables suivant les individus et le contexte d'utilisation.

Un *trip** dure entre cinq et douze heures, parfois plus longtemps.

Il arrive qu'un consommateur soit pris de panique en cours d'intoxication* : on parle alors de *bad trip**. Dans un tel cas, il faut rassurer et apaiser la personne dans une ambiance calme, sous un éclairage tamisé. Il faut être prudent, car l'individu intoxiqué peut être dangereux pour lui ou pour son entourage. La prise d'alcool peut aggraver le problème.

L'usage du LSD peut provoquer des accidents psychiatriques graves et durables. La descente (*coming down*) peut être très désagréable : l'usager peut éprouver un état confusionnel pouvant s'accompagner d'angoisses, de crises de panique, de troubles paranoïdes, de phobies et de délire.

LSD ET DÉPENDANCE

Le LSD ne provoque pas de dépendance physique* et il n'y a pas de syndrome de sevrage*. Il ne stimule pas le système de récompense du cerveau et n'entraîne pas d'effets renforçateurs directs, c'est-à-dire la capacité de renforcer la stimulation des centres du plaisir localisés dans plusieurs régions cérébrales.

La dépendance psychologique* au LSD varie selon le consommateur : chez un faible nombre d'utilisateurs très réguliers, on peut noter de l'anxiété ou une certaine panique lors de la privation. Cependant, le désir compulsif de consommer ne se compare en rien à l'obsession ressentie par le cocaïnomane ou l'héroïnomane.

L'usage du LSD peut provoquer des accidents psychiatriques graves et durables

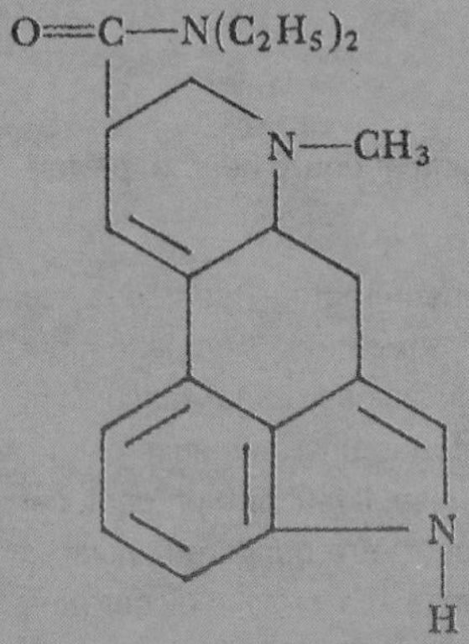

$O{=}C{-}N(C_2H_5)_2$

$N{-}CH_3$

N

H

→ HISTORIQUE

Synthétisé en 1938 par le chimiste Albert Hofmann, le LSD a été commercialisé quelques années plus tard par les laboratoires suisses Sandoz, sous le nom de Delysid®.

Au cours des années 1950, la *Central Intelligence Agency* (CIA) mène l'opération MK-ULTRA afin d'expérimenter les effets du LSD sur la maîtrise de la pensée et comme sérum de vérité. Bien que les résultats obtenus aient un intérêt limité et que le produit engendre une forte anxiété, la CIA poursuit les recherches afin de mettre au point une arme psychochimique à grande échelle.

Au début des années 1960, Timothy Leary et Richard Alpert, deux chercheurs de l'Université Harvard, font la promotion du LSD sur le campus universitaire et sont contraints de quitter leur poste. Ils fondent par la suite l'*International Federation for Internal Freedom* (IFIF), regroupant plusieurs milliers de membres.

Jusqu'en 1965, le LSD est étudié comme adjuvant* à la psychothérapie et fait l'objet de nombreux travaux. La campagne publicitaire menée sur sa toxicité* conduit à son interdiction au Canada en 1962.

LSD

LES CHIFFRES D'UNE RÉALITÉ QUÉBÉCOISE

Selon l'Enquête sociale et de santé de 1998[2], environ 1,5 % des Québécois de 15 ans et plus ont consommé du LSD au cours de l'année précédente. Ceci représente près de 90 000 personnes.

→ D'après une étude effectuée en 2002[20] auprès de Montréalais participant à des *parties rave**, il ressort que 56,2 % de ces derniers ont consommé du LSD au cours de l'année précédente.

→ En 2004[5], une étude démontre que 2,5 % des élèves du secondaire (12 à 17 ans) ont consommé du LSD au cours de la dernière année (2,4 % des garçons et 2,6 % des filles). Ceci représente près de 11 000 élèves du secondaire.

Tendance statistique : stable de 2000[6] à 2002[7] puis ↓ de 1,9 % de 2002[7] à 2004[5].

PRODUIT **ILLICITE**

QUE PRÉVOIT LA LOI ?

→ Le LSD est inscrit à l'annexe III de la *Loi réglementant certaines drogues et autres substances.*

→ La possession, le trafic, la possession en vue d'en faire le trafic, la production, l'importation et l'exportation sont illégaux.

Du bon et du mauvais usage de ces médicaments qui sont faits pour soigner et qu'il ne faut surtout pas prendre à la légère

MÉDICAMENTS PSYCHOACTIFS

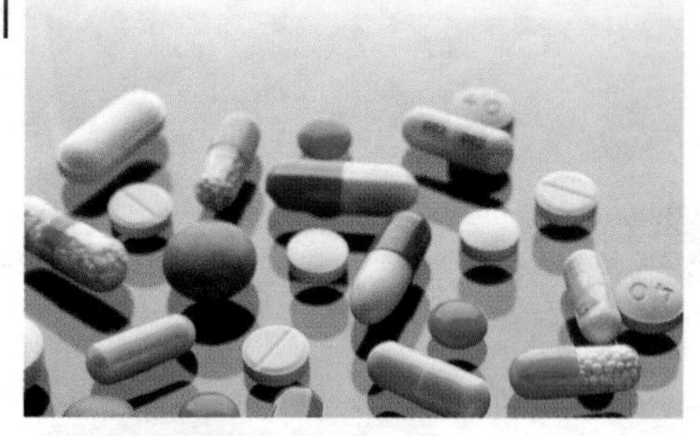

UN MÉDICAMENT PSYCHOACTIF, QU'EST-CE QUE C'EST ?

Prescrit et utilisé avec discernement, un médicament* psychoactif permet d'atténuer ou de faire disparaître une souffrance psychologique : anxiété, angoisse, insomnie, dépression, psychoses, maladie affective bipolaire*, etc.

Prescrit et utilisé avec discernement, un médicament psychoactif permet d'atténuer ou de faire disparaître une souffrance psychologique

Un médicament psychoactif est prescrit par un médecin. Après examen, celui-ci établit un diagnostic et, s'il l'estime nécessaire, détermine le traitement le mieux adapté à l'état de santé de la personne.

Un grand nombre de personnes utilisent, avec ou sans ordonnance, des médicaments psychoactifs pour faire face à des troubles provoqués par leurs difficultés quotidiennes. Parmi elles, on peut citer les personnes âgées confrontées à la solitude, ainsi que les personnes exposées à une surcharge de responsabilités, au stress ou à un événement éprouvant.

Les troubles du sommeil sont un motif fréquent de consultation médicale et de prescription de médicaments psychoactifs. Ces troubles peuvent être passagers ou occasionnels et peuvent parfois devenir chroniques. Les causes peuvent être physiques, psychologiques, psychiatriques ou dues, tout simplement, à des conditions peu propices au sommeil.

Les effets des médicaments psychoactifs diffèrent selon leur composition chimique, les doses administrées et la sensibilité de la personne

EFFETS ET DANGERS DES MÉDICAMENTS PSYCHOACTIFS

Les effets des médicaments* psychoactifs diffèrent selon leur composition chimique, les doses administrées et la sensibilité de la personne.

Consommer des médicaments et d'autres substances psychoactives en même temps comporte des dangers, d'autant plus que certaines interactions sont méconnues. Le mélange avec l'alcool, par exemple, potentialise ou annule les effets de chacune des substances absorbées.

Les effets d'un médicament psychoactif diffèrent selon la catégorie à laquelle il appartient. On distingue principalement :

❶ les anxiolytiques* et les sédatifs*

❷ les somnifères ou hypnotiques*

❸ les antidépresseurs

❹ les antipsychotiques

❺ les stabilisateurs de l'humeur

❶ Les anxiolytiques et les sédatifs

Ils font partie des **dépresseurs** du système nerveux central. Ils diminuent l'angoisse et les manifestations de l'anxiété (tension musculaire, agitation, etc.) tout en calmant et en apaisant. Cependant, tout état d'anxiété ou d'angoisse ne nécessite pas systématiquement une prescription de ces médicaments*.

Les anxiolytiques* et les sédatifs* les plus prescrits, notamment pour de longues durées, appartiennent à la famille des benzodiazépines*. Les benzodiazépines préférablement utilisées comme anxiolytiques sont l'alprazolam (Xanax®), le bromazépam (Lectopam®), le chlordiazépoxide (Apo-Chlordiazépoxide®), le clorazépate (Tranxène®), le diazépam (Valium®), le lorazépam (Ativan®) et l'oxazépam (Serax®).

Ces substances peuvent entraîner la perte de mémoire des faits récents, la baisse de la vigilance, la somnolence et la diminution des réflexes. Ces effets rendent dangereuse la conduite d'un véhicule ou l'utilisation de machines ou d'équipement nécessitant une attention particulière. Ces produits sont connus pour le risque de dépendance physique* et psychologique* qu'ils entraînent. Ils sont souvent utilisés à doses massives ou en association avec d'autres produits et conduisent à une forme de toxicomanie* difficile à surmonter.

Ces substances peuvent entraîner la perte de mémoire des faits récents, la baisse de la vigilance, la somnolence et la diminution des réflexes

Les autres médicaments pouvant être utilisés comme anxiolytiques ou sédatifs sont les barbituriques*, la buspirone (BuSpar®), l'hydrate de chloral (Hydrate de chloral-Odan®) et la zopiclone (Imovane®).

❷ Les somnifères ou hypnotiques

Ils font aussi partie des **dépresseurs** du système nerveux central et sont destinés à induire ou à maintenir le sommeil. De ce fait, ils peuvent diminuer la vigilance en état d'éveil. Les somnifères les plus prescrits, notamment pour de longues durées, appartiennent aussi à la famille des benzodiazépines*.

Les somnifères sont fréquemment utilisés de façon abusive, à doses massives ou en association avec d'autres produits

Les benzodiazépines préférablement utilisées comme hypnotiques* (somnifères) sont le flurazépam (Dalmane®), le nitrazépam (Mogadon®), le témazépam (Restoril®) et le triazolam (Halcion®). Ces benzodiazépines ont les mêmes propriétés que les autres.

Elles sont aussi fréquemment utilisées de façon abusive, à doses massives ou en association avec d'autres produits.

Notons que les autres benzodiazépines précédemment décrites comme anxiolytiques* et sédatifs* peuvent aussi être employées comme somnifères aux doses appropriées. Enfin, les médicaments* hypnotiques qui ne font pas partie des benzodiazépines sont les barbituriques, l'hydrate de chloral (Hydrate de chloral-Odan®) le zaleplon (Starnoc®) et la zopiclone (Imovane®).

❸ Les antidépresseurs

Les antidépresseurs font partie des médicaments* psychoactifs. Certains agissent directement ou indirectement sur les neuromédiateurs*, en particulier sur la sérotonine et la noradrénaline. Ils sont prescrits dans le traitement de la dépression, dont les

Les antidépresseurs doivent être réservés aux dépressions diagnostiquées par le médecin

symptômes* sont notamment : diminution marquée de l'intérêt ou du plaisir à vivre, troubles du sommeil, agitation ou apathie, sensation de fatigue ou perte d'énergie inexpliquées, sentiment de dévalorisation ou de culpabilité excessive, diminution de l'aptitude à penser et à se concentrer.

En se basant sur leur mécanisme d'action, les antidépresseurs se classent en huit catégories et comprennent notamment :

→ l'imipramine (Tofranil®)
→ la venlafaxine (Effexor® XR)
→ le citalopram (Celexa®), l'escitalopram (Cipralex®), la fluoxétine (Prozac®), la fluvoxamine (Luvox®), la paroxétine (Paxil®) et la sertraline (Zoloft®)
→ la mirtazapine (Remeron®, Remeron RD®)
→ le bupropion (Wellbutrin® SR, Wellbutrin® XL, Zyban®)
→ la phénelzine (Nardil®) et la tranylcypromine (Parnate®)
→ le moclobémide (Manerix®)
→ la sélégiline (Gen-Selegiline®)

Les antidépresseurs peuvent entraîner des effets indésirables : perte de vigilance, somnolence, excitation.

Ces médicaments* doivent être réservés aux dépressions diagnostiquées par le médecin.

Ils n'entraînent pas de dépendance physique* significative. Cependant, la diminution de la posologie* doit être progressive afin d'éviter, en cas d'arrêt soudain, des symptômes* tels les nausées, les vertiges et un retour trop brutal du syndrome dépressif. Idéalement, l'arrêt de ces médicaments devrait se faire sous supervision médicale.

❹ Les antipsychotiques

Les antipsychotiques font également partie des médicaments psychoactifs. Ils sont principalement utilisés pour le traitement des psychoses (maladies mentales qui affectent les comportements), dont la schizophrénie*.

Dans le traitement de ces maladies souvent longues, la prise en charge psychologique et sociale du patient est aussi importante que le traitement par les médicaments.

Comme pour tout traitement médical, son interruption est particulièrement déconseillée sans l'avis du médecin.

Ces produits n'entraînent pas de dépendance*.

Les antipsychotiques sont groupés en neuf classes chimiques et comprennent principalement :

→ la chlorpromazine (Largactil®)
→ l'halopéridol (Halopéridol®)
→ le flupenthixol (Fluanxol®)
→ le pimozide (Orap®)
→ la loxapine (Loxapine®)
→ la clozapine (Clozaril®)
→ l'olanzapine (Zyprexa®)
→ la quétiapine (Seroquel®)
→ la rispéridone (Risperdal®)

Il est particulièrement déconseillé de prendre ce type de médicaments sans l'avis du médecin

Les stabilisateurs de l'humeur sont des médicaments indiqués pour traiter la maladie affective bipolaire

❺ Les stabilisateurs de l'humeur

Les stabilisateurs de l'humeur sont des médicaments* indiqués pour traiter la maladie affective bipolaire*, autrefois appelée psychose maniaco-dépressive. Ils facilitent la régularisation de l'humeur des personnes aux prises avec des alternances de manie et de dépression.

Le prototype de cette classe de médicaments* est le lithium (Carbolith®, Duralith®, Lithane®).

Du fait que le lithium manifeste une efficacité limitée chez certains patients et que sa toxicité* soit significative, l'acide valproïque (Depakene®, Epiject I.V. ®) et la carbomazépine (Tegretol®) représentent des bonnes alternatives au lithium.

Enfin, la quétiapine (Seroquel®) et la rispéridone (Risperdal®) sont utilisées pour traiter les épisodes de manie du trouble bipolaire. Quant à l'olanzapine (Zyprexa®), elle est aussi employée pour traiter les épisodes maniaques ou mixtes de la maladie affective bipolaire.

QUELQUES CONSEILS

- → Les médicaments* psychoactifs ne doivent pas être réutilisés sans nouvel avis médical et ne conviennent pas à une autre personne : une ordonnance doit demeurer personnelle
- → Une consultation médicale ne se termine pas obligatoirement par la prescription de médicaments notamment d'anxyolitiques*, de sédatifs* ou de somnifères
- → Le patient doit se conformer strictement à l'ordonnance du médecin et éviter de prendre simultanément de l'alcool et d'autres drogues lors d'un traitement qui implique des médicaments psychoactifs

→ La prise d'alcool ou d'autres dépresseurs du système nerveux central au cours d'un traitement aux benzodiazépines* comporte certains risques, car cette combinaison entraîne une potentialisation* des effets dépresseurs qui se traduit par une détérioration des capacités psychologiques et motrices

MÉDICAMENTS PSYCHOACTIFS ET DÉPENDANCE

Si certains médicaments psychoactifs n'entraînent pas de dépendance physique*, une dépendance psychologique* est possible selon chaque individu, pour chaque substance. Quant aux benzodiazépines*, elles peuvent entraîner une dépendance à la fois physique* et psychologique*.

Lorsque la consommation d'un médicament psychoactif est augmentée au-delà de la dose prescrite par le médecin, on parle de toxicomanie* médicamenteuse. Elle peut prendre plusieurs formes :

La toxicomanie médicamenteuse classique

Cette pratique de consommation se rapproche de la dépendance* : la vie de l'usager est centrée sur sa consommation. On constate une alternance entre des moments de consommation contrôlée et des moments de consommation excessive. Lorsqu'on essaie de comprendre ce qui motive ces consommations, il est souvent difficile de distinguer la recherche de l'oubli, du sommeil, du soulagement de l'anxiété, de la recherche d'un mieux-être ou du besoin de se réfugier dans un état second.

Elle concerne tous les types de médicaments, les associations de différents médicaments n'étant pas rares.

Il est souvent difficile de distinguer la recherche de l'oubli, du sommeil, du soulagement de l'anxiété, de la recherche d'un mieux-être ou du besoin de se réfugier dans un état second

La toxicomanie médicamenteuse insidieuse

Les médicaments sont généralement pris suite à une prescription médicale et, face à la persistance des symptômes ou à l'apparition de symptômes nouveaux, l'escalade médicamenteuse s'installe. En effet, la personne cherche toujours le produit qui la guérira, et le médecin, tout en percevant plus ou moins le bien-fondé de cette demande, prescrit de nouveaux médicaments ou augmente la posologie.

La situation se complique lorsque le patient fait lui-même ses mélanges, associe les diverses ordonnances d'un ou de plusieurs médecins, dans un but d'automédication.

La situation se complique lorsque le patient fait lui-même ses mélanges, associe les diverses ordonnances d'un ou de plusieurs médecins, dans un but d'automédication

Dans ce cas, le patient, attaché à ses ordonnances, desquelles il ne supporte pas qu'on supprime un ou plusieurs produits, consomme de façon rituelle des quantités considérables de comprimés, capsules, etc.

Dans cette conduite, il est difficile de faire la part de la contribution réelle de la maladie entre la dépendance physique et psychologique, la peur de voir le symptôme réapparaître et l'envie de ressentir l'effet du médicament.

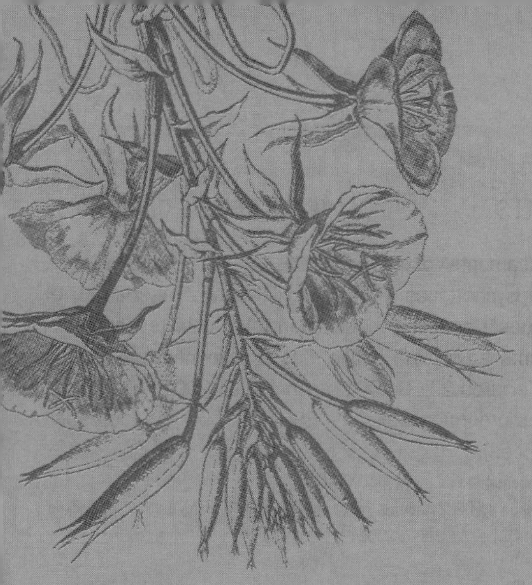

→ HISTORIQUE

LES PLANTES ONT ÉTÉ LA BASE DE LA MAJORITÉ DES TRAITEMENTS

La pharmacopée (l'ensemble des médicaments*) des Mésopotamiens comportait déjà près de 250 espèces de plantes pour soigner. À partir de la Renaissance, arrivent les végétaux d'origine tropicale. L'isolement des principes actifs des plantes ou des substances d'origine végétale n'intervient qu'au début du XIXe siècle, grâce aux progrès de la chimie.

Les substances d'origine animale sont moins fréquentes mais tout aussi anciennes. Poison et venin de certaines espèces étaient utilisés.

Les substances d'origine minérale sont employées depuis toujours à des fins thérapeutiques. Les anciennes civilisations égyptiennes utilisaient le carbonate de calcium pour soigner les acidités du tube digestif, et les Romains, la rouille de fer pour arrêter les hémorragies. Aujourd'hui, certains minéraux sont utilisés par exemple dans les traitements de carences en oligoéléments (fer, cuivre, manganèse, iode, calcium, magnésium, etc.) ou dans le traitement de la maladie affective bipolaire* (lithium).

MÉDICAMENTS PSYCHOACTIFS

LES CHIFFRES D'UNE RÉALITÉ QUÉBÉCOISE

→ Les médicaments* psychoactifs (classes des antidépresseurs, des antipsychotiques et des anxiolytiques*, sédatifs* et hypnotiques*) sont les médicaments les plus prescrits aux participants au régime public d'assurance-médicaments du Québec (environ 2 200 000 personnes) en 2001[22] (12,9 % de toutes les ordonnances) et en 2005[23] (15,5 % de toutes les ordonnances).

Tendance statistique : ↑ de plus de 3,5 millions d'ordonnances de médicaments psychoactifs (pour environ un même nombre de participants) de 2001[22] à 2005[23].

Ordonnances de médicaments psychoactifs pour les participants au régime public d'assurance médicaments

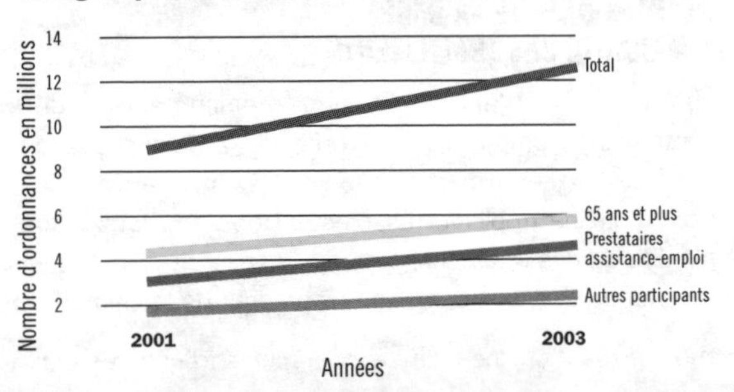

PRODUIT **ILLICITE**

QUE PRÉVOIT LA LOI ?

→ Les benzodiazépines*, les autres anxiolytiques*, sédatifs* et hypnotiques*, les antidépresseurs, les antipsychotiques et les stabilisateurs de l'humeur ne font pas partie des annexes de la *Loi réglementant certaines drogues et autres substances*. Ce sont des médicaments qui nécessitent une ordonnance.

→ À cause de leur abus*, depuis le 1er septembre 2000, les benzodiazépines sont des médicaments ciblés, c'est-à-dire davantage contrôlés.

MESCALINE

Saviez-vous que la mescaline est presque impossible à trouver sur le marché québécois ?

LA MESCALINE, QU'EST-CE QUE C'EST ?

La mescaline est le principal constituant actif du peyotl, un petit cactus brun-gris d'Amérique centrale.

La mescaline n'est pas disponible au Québec et au Canada. Ce que l'on retrouve sur le marché sous la dénomination de mescaline est en fait du PCP (voir section sur le PCP, p.116).

EFFETS ET DANGERS DE LA MESCALINE

Elle fait partie des **perturbateurs** du système nerveux central. C'est un hallucinogène qui provoque moins d'effets centraux que le LSD, mais des effets périphériques plus marqués.

Les principaux effets centraux de la mescaline sont l'euphorie*, un accroissement de l'acuité sensorielle, des pertes de mémoire à court terme, des troubles de la pensée et de la concentration ainsi que des hallucinations. Ces effets s'accompagnent d'une altération de la perception de soi, des formes, des couleurs, du temps et de l'espace.

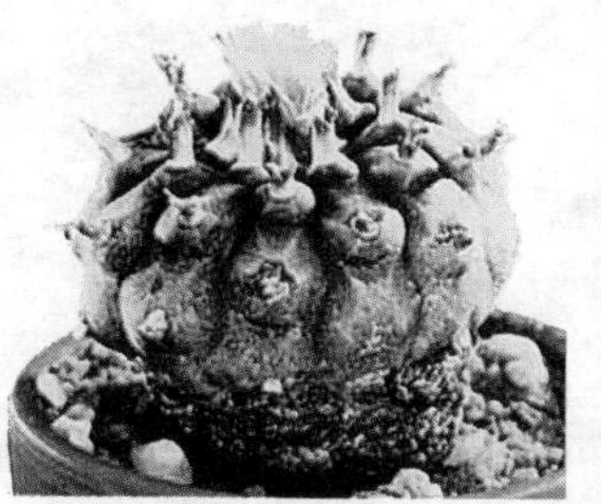

La mescaline est le principal constituant actif du peyotl, un petit cactus brun-gris d'Amérique centrale

L'intoxication aiguë peut entraîner l'anxiété, une dépersonnalisation, une sensation de perte de la maîtrise de soi et de son environnement et un état de panique

Les principaux effets périphériques sont l'altération de la vision, une dilatation de la pupille ainsi qu'une augmentation de la fréquence cardiaque, de la pression artérielle et de la température corporelle.

L'intoxication* aiguë peut entraîner l'anxiété, une dépersonnalisation, une sensation de perte de la maîtrise de soi et de son environnement et un état de panique. Cette réaction, connue sous le nom de mauvais voyage (*bad trip**), s'accompagne de conduites susceptibles d'être dangereuses.

L'intoxication chronique provoque, entre autres, un syndrome d'amotivation, des troubles de l'humeur et des réminiscences d'hallucinations (*flashbacks*).

MESCALINE ET DÉPENDANCE

La tolérance* aux effets hallucinogènes s'installe après quelques jours de consommation et disparaît aussi rapidement. Bien que la dépendance physique* soit absente, une dépendance psychologique* d'intensité variable peut être observée.

MESCALINE
LES CHIFFRES D'UNE RÉALITÉ QUÉBÉCOISE

La mescaline n'est pas disponible au Québec et au Canada.

PRODUIT **ILLICITE**

QUE PRÉVOIT LA LOI ?

- La mescaline est inscrite à l'annexe III de la *Loi réglementant certaines drogues et autres substances.*
- La possession, le trafic, la possession en vue d'en faire le trafic, la production, l'importation et l'exportation sont illégaux.

MÉTHADONE

LA MÉTHADONE, QU'EST- CE QUE C'EST ET À QUOI ÇA RESSEMBLE ?

La méthadone (Metadol®) est une substance synthétique de la famille des opiacés* qui agit sur les mêmes récepteurs* que la morphine et l'héroïne. Elle manifeste des propriétés analgésiques* aussi puissantes que la morphine. Elle est employée essentiellement comme traitement de substitution* chez les héroïnomanes dépendants : la méthadone a des propriétés comparables à celles de l'héroïne, mais elle présente un meilleur profil pharmacologique. Ce transfert de dépendance* permet de stabiliser le consommateur et facilite sa réadaptation.

La méthadone est disponible au Canada sous forme de comprimés ou de solution orale.

EFFETS ET DANGERS DE LA MÉTHADONE

La méthadone disponible sur le marché noir peut avoir été trafiquée et présenter un danger pour le consommateur. En l'absence de contrôles de qualité rigoureux et d'un support médical adéquat, son usage inapproprié peut conduire à des risques pour la santé, provoquer une intoxication* aiguë et même un surdosage* pouvant être mortel.

La prise simultanée de benzodiazépines* et de méthadone lors de traitements de substitution à l'héroïne est reliée à un risque accru de dépression respiratoire, pouvant entraîner la mort.

Utilisée comme traitement de substitution à l'héroïne, la méthadone nécessite un support médical adéquat

La méthadone est une substance synthétique de la famille des opiacés

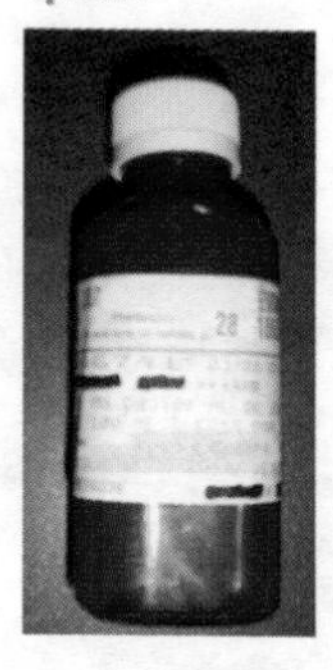

La méthadone est bénéfique pour plusieurs patients mais les échecs et les rechutes sont fréquents. Lors d'une réduction graduelle des doses de méthadone jusqu'à l'abstinence complète, plusieurs personnes peuvent ressentir, pendant un ou deux ans, un désir obsédant* très marqué pour l'héroïne ou un autre opiacé quand les doses sont inférieures à une certaine quantité. Étant donné que le risque de rechute est élevé chez ces patients, un traitement à la méthadone à long terme est souvent indiqué.

Il n'existe pas d'indicateurs très fiables permettant de prédire les chances de réussite d'un traitement à la méthadone.

Afin de maximiser les bienfaits et les probabilités de succès, la thérapie doit inclure un encadrement rigoureux du patient par divers professionnels de la santé et des services sociaux.

Une dose thérapeutique adéquate de méthadone est très peu euphorisante* pour l'héroïnomane et permet un sevrage* plus confortable. Les réactions indésirables les plus fréquentes sont la transpiration excessive (qu'on retrouve chez 48 % des utilisateurs en sevrage), la diminution de la libido (22 %), la constipation (17 %) et les troubles du sommeil (16 %).

La méthadone est bénéfique pour plusieurs patients mais les échecs et les rechutes sont fréquents

Chez la femme enceinte, bien que comportant certains risques pour le fœtus, l'usage de la méthadone est nettement moins dangereux que la prise d'héroïne ou le sevrage pendant la grossesse.

Traitement à la méthadone

Les modalités de sevrage à la méthadone dépendent du patient et de l'équipe médicale qui le soigne.

Du fait de sa longue durée d'action, la méthadone est normalement administrée une seule fois par jour dans le traitement des héroïnomanes dépendants. Ses symptômes* de sevrage* sont beaucoup moins intenses, mais de plus longue durée que ceux de l'héroïne. Le traitement d'entretien à la méthadone est habituellement envisagé à long terme. La durée de la thérapie varie d'un à deux ans, mais peut même atteindre des périodes beaucoup plus longues, pouvant parfois aller jusqu'à vingt ans ou plus.

Le traitement à la méthadone doit être interrompu progressivement. Il s'agit actuellement du traitement le plus efficace contre la dépendance* aux opiacés*.

Il s'agit actuellement du traitement le plus efficace contre la dépendance aux opiacés

MÉTHADONE ET DÉPENDANCE

Les individus traités à la méthadone développent une tolérance* à certains de ses effets et peuvent manifester certains symptômes de sevrage* s'ils ne prennent pas régulièrement leur dose. Cependant, la méthadone n'est pas vraiment considérée comme une substance qui crée l'accoutumance au plein sens du terme, si l'on tient compte de son mode d'utilisation et des motifs de son usage.

→ HISTORIQUE

La méthadone, initialement appelée aldophine, a été synthétisée pour la première fois par des chimistes allemands lors de la Deuxième Guerre mondiale, puis baptisée de ce nom en 1946.

Elle est employée pour la première fois au Canada dans les traitements de désintoxication* par Halliday au cours des années 1960. Dole et Nyswander, respectivement médecin et psychiatre américains, constatent alors les effets bénéfiques de la méthadone prise par voie orale lors de traitements de sevrage* et de réadaptation des opiomanes.

Les succès indéniables de cette approche, confirmés par plusieurs études, conduisent à la mise en place de programmes similaires dans d'autres pays au cours des années 1960 (Danemark, Pays-Bas, Royaume-Uni, Suède), 1970 (Finlande, Italie, Luxembourg et Portugal), 1980 (Autriche et Espagne) et 1990 (Allemagne, France, Grèce et Irlande).

Au Québec, le Centre de recherche et d'aide aux narcomanes (CRAN) a été un pionnier dans les traitements de la dépendance* à l'héroïne et les thérapies de substitution* à la méthadone.

MÉTHADONE

LES CHIFFRES D'UNE RÉALITÉ QUÉBÉCOISE

→ D'après une étude du Comité permanent de lutte à la toxicomanie, il y avait en 2002[24], 2 186 personnes en traitement de maintien à la méthadone au Québec (64,5 % d'hommes et 35,5 % de femmes), dont 1 311 Montréalais.
Tendance statistique : ↑ de 35,9 % des personnes en traitement de maintien à la méthadone au Québec sur une période de quatre ans.

→ Selon une étude menée en 2003[17] auprès des jeunes de la rue de Montréal (14-23 ans), 33 % de ces jeunes ont consommé de la méthadone non prescrite au cours de leur vie.

PRODUIT
LICITE

QUE PRÉVOIT LA LOI ?

La méthadone est inscrite à l'annexe I de la *Loi réglementant certaines drogues et autres substances*. Elle est disponible légalement, pour un usage médical en quantités limitées, sous forme de poudre soluble administrée par voie orale.

Le PCP est très toxique et souvent vendu sous de faux noms. Comment le reconnaître ?

PCP
(PHENCYCLIDINE)

LE PCP, QU'EST-CE QUE C'EST ?

La phencyclidine (1-phénylcyclohexylpipéridine) ou PCP, encore appelée *mess*, *TH*, *angel dust* et *peace pill*, est un hallucinogène qui produit des effets comparables au LSD tout en suscitant moins d'hallucinations.

LE PCP, À QUOI ÇA RESSEMBLE ?

À l'état pur, le PCP se présente généralement sous forme de poudre cristalline blanche qui se dissout rapidement dans l'eau et l'alcool. De production facile, il est synthétisé dans des laboratoires clandestins et également vendu sous forme de comprimés et de capsules de couleurs variées. Une dose typique vendue dans la rue est de l'ordre de 10 mg et coûte environ 10 $. Du fait de son prix peu élevé et de sa synthèse facile, le PCP est souvent utilisé pour couper ou pour amplifier les effets d'autres psychotropes* tels le LSD, le cannabis ou la cocaïne.

Le PCP peut être consommé par voie orale sous forme de poudre, de comprimés, de capsules ou de liquide. Il peut aussi être prisé (reniflé), fumé ou injecté (le plus souvent par voie intraveineuse ; plus rarement par voie intramusculaire).

Le PCP produit des effets comparables au LSD tout en suscitant moins d'hallucinations

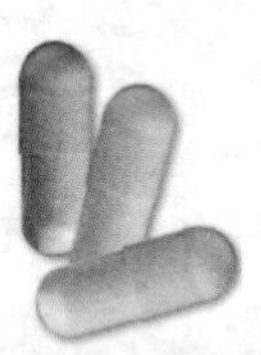
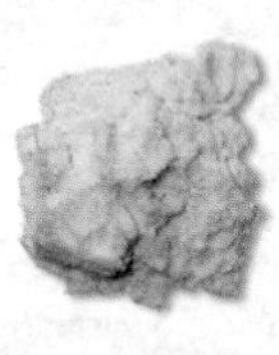

Le PCP est souvent vendu sous de faux noms, fréquemment sous la dénomination de *mess* ou mescaline.

Le PCP produit une anesthésie générale, réduisant ainsi la perception de la douleur et de l'environnement

EFFETS ET DANGERS DU PCP

Le PCP produit une anesthésie générale, réduisant ainsi la perception de la douleur et de l'environnement. Il manifeste à la fois les propriétés des **dépresseurs** et des **stimulants** du système nerveux central. Il peut entraîner une euphorie*, une relaxation, une impression de légèreté et de flottement, des pertes de mémoire, la distorsion de la perception du temps, de l'espace et du corps, des sentiments de dissociation de l'environnement et des hallucinations visuelles et auditives. Les modifications de la perception et des processus de la pensée qu'il provoque sont semblables à celles du LSD.

Les effets indésirables psychiques produits par le PCP peuvent se résumer ainsi :

- → de l'anxiété, de l'agitation et des crises de panique
- → des difficultés d'attention, de concentration et de réflexion
- → de la confusion, de la désorientation, l'altération du jugement, une désorganisation de la pensée, un langage incohérent
- → des troubles de la mémoire et une amnésie antérograde (incapacité à se souvenir de faits ou d'événements survenus après la prise de la drogue)
- → des mouvements involontaires et saccadés des yeux (nystagmus)

- des étourdissements, des problèmes d'élocution, un regard fixe, une absence de réponse aux stimuli, un engourdissement des extrémités, de la rigidité musculaire
- une hypersensibilité à la lumière, aux sons et à la douleur
- des troubles psychomoteurs, une incoordination des mouvements
- un sentiment intense d'aliénation, la précipitation d'un épisode psychotique latent et une psychose toxique se manifestant par des hallucinations, du délire et des troubles paranoïdes ; cette psychose toxique peut durer de quelques heures à quelques semaines
- des comportements inadaptés, bizarres, impulsifs, hostiles ou violents

Le PCP est très toxique. Des doses supérieures à 10 mg chez un consommateur non tolérant peuvent causer le délire, la rigidité musculaire, le mutisme, une sédation sévère et un état de stupeur. Des doses supérieures à 20 mg peuvent entraîner des convulsions et le coma. La mort survient habituellement à des doses variant entre 150 et 200 mg. Elle peut résulter d'un arrêt cardiaque ou respiratoire, de complications rénales ou d'hémorragies cérébrales.

L'intoxication chronique au PCP entraîne des problèmes cérébraux, psychologiques et psychiatriques

L'intoxication* chronique au PCP entraîne des problèmes cérébraux, psychologiques et psychiatriques. Beaucoup de décès liés à l'usage de PCP sont dus à des accidents, des suicides ou des homicides.

PCP ET DÉPENDANCE

Le PCP stimule les régions cérébrales reliées au plaisir et au renforcement. La dépendance psychologique* s'observe chez quelques utilisateurs réguliers. Elle se caractérise par le désir obsédant* de consommer et de ressentir les effets du produit, ainsi que par la difficulté à interrompre l'usage malgré ses effets nuisibles sur la santé. La dépendance physique* est rare chez l'humain.

LA PCP

LES CHIFFRES D'UNE RÉALITÉ QUÉBÉCOISE

→ En 2004[5], une étude démontre que 2,4 % des élèves du secondaire (12 à 17 ans) ont consommé du PCP au cours de la dernière année (2,4 % des garçons et 2,2 % des filles). Ceci représente plus de 10 000 élèves du secondaire.
Tendance statistique : ↓ de 1,3 % de 2002[7] à 2004[5].

→ Selon une étude menée en 2003[17] auprès des jeunes de la rue de Montréal (14-23 ans), 9,8 % de ces jeunes ont déclaré que le LSD et le PCP sont les drogues qu'ils ont le plus souvent consommées au cours des six derniers mois précédant l'enquête.

PRODUIT
ILLICITE

QUE PRÉVOIT LA LOI ?

→ Le PCP est inscrit à l'annexe III de la *Loi réglementant certaines drogues et autres substances.*

→ La possession, le trafic, la possession en vue d'en faire le trafic, la production, l'importation et l'exportation sont illégaux.

Plus loin,
plus haut,
plus fort !
Mais à quel
prix ?

SUBSTANCES **DOPANTES**

LE DOPAGE, QU'EST-CE QUE C'EST ?

Le dopage* est l'utilisation de substances ou de méthodes interdites destinées à augmenter les capacités physiques ou mentales d'un sportif ou à masquer l'emploi de ces substances ou de ces méthodes lors de la préparation ou de la participation à une compétition sportive. Cette pratique est contraire à l'éthique sportive et peut porter préjudice à l'intégrité physique et psychique de l'athlète.

Il est question de conduites dopantes lorsqu'une personne consomme une substance chimique ou un médicament* pour affronter un obstacle, réel ou ressenti, ou/et pour améliorer ses performances, qu'elles soient physiques, intellectuelles, artistiques... Il n'existe pas une, mais une multitude de conduites dopantes : rien de comparable en effet entre l'étudiant qui consomme des compléments de vitamines juste en période d'examen et celui qui consomme régulièrement ou à forte dose des anabolisants pour développer sa musculation ou améliorer ses performances physiques ou encore, des glucocorticoïdes pour repousser les limites de la fatigue.

Lorsqu'un individu préparant ou participant à une compétition sportive utilise un produit appartenant à la liste des substances ou procédés interdits définis par la loi, on parle alors de dopage sportif.

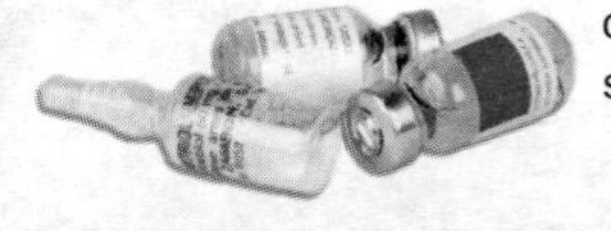

LE DOPAGE N'EST PAS UNE SIMPLE TRICHERIE

De nombreux facteurs interviennent dans les motivations des individus et prédisposent à une conduite dopante :

→ **le sexe** : les filles consomment plus fréquemment des produits (vitamines, médicaments*...) pour améliorer leurs performances intellectuelles et scolaires, alors que les garçons consomment, deux fois plus que les filles, des produits leur permettant d'améliorer leurs performances physiques et sportives

→ **l'âge** : le nombre d'utilisateurs de substances dopantes augmente au cours de l'adolescence

→ **le milieu familial** : le comportement de l'entourage vis-à-vis des substances psychoactives constitue un facteur de risque ou de protection

→ **l'obligation de résultats** : la pression d'obtenir de bons résultats sportifs augmente l'anxiété de performance et accroît le risque d'avoir recours au dopage*

→ **l'isolement social** : l'éloignement du domicile, les difficultés liées aux études et les longues heures consacrées à l'entraînement isolent davantage l'athlète

→ **le système de carrière** : le fonctionnement des milieux sportifs, la compétition pour les premières places et la recherche de la célébrité conditionnent le comportement du sportif

→ **les amis, les collègues de travail** : le besoin de s'intégrer et d'être accepté ajoutent de la pression

On parle de dopage ou de conduite dopante lorsqu'une personne consomme des produits interdits ou utilise des méthodes illicites afin d'améliorer ses performances lors d'une compétition sportive

→ **le culte du corps et de la performance** : le statut que confèrent la beauté et la performance physique et intellectuelle fait appel à un adjuvant* facile à trouver et difficile à refuser

Au Québec et au Canada, la Commission Dubin montre que l'usage des substances dopantes est très répandu dans le domaine sportif sans pour autant pouvoir fournir des chiffres précis. Elle constate aussi que la consommation de produits dopants déborde le sport d'élite et rejoint les gymnases et les vestiaires des écoles secondaires, menaçant la santé des athlètes, des sportifs d'occasion et des étudiants du secondaire.

Sur le plan mondial, il est difficile aujourd'hui de déterminer avec exactitude l'ampleur du phénomène d'abus* des substances dopantes et de leur utilisation illicite* dans le monde du sport. Néanmoins, les experts s'entendent pour dire que de nombreux athlètes ont recours à de nouvelles substances et méthodes de dopage* pour améliorer leurs performances.

Ainsi, en 2005, l'Agence mondiale antidopage (AMA) a effectué environ 3 250 contrôles de sang et d'urine chez des sportifs de 119 nationalités, dans 70 pays. Le nombre des résultats d'analyse anormaux a augmenté substantiellement grâce aux contrôles inopinés hors compétition des athlètes d'élite.

La consommation de produits dopants déborde le sport d'élite et rejoint les gymnases et les vestiaires des écoles secondaires

Une liste des substances et des méthodes interdites selon le code mondial antidopage est élaborée et mise régulièrement à jour par l'Agence mondiale antidopage. Le lecteur pourra s'y référer à l'annexe 5.

SUBSTANCES DOPANTES

Les substances dopantes sont achetées :

→ dans le circuit pharmaceutique légal (médicaments* prescrits et détournés de leur usage)

→ via Internet

→ sur le marché clandestin, fournies le plus souvent par l'entourage des usagers (produits de laboratoires clandestins ou importations frauduleuses) ; leur nature exacte est invérifiable et leur qualité sujette à caution

Les avantages liés à l'utilisation des substances dopantes sont relativement minimes par rapport aux risques nombreux résultant de leur abus

EFFETS ET DANGERS DES SUBSTANCES DOPANTES

Les avantages liés à l'utilisation à des fins non thérapeutiques des substances dopantes sont relativement minimes par rapport aux risques nombreux et parfois irréversibles résultant de leur abus*.

L'arsenal du dopage* est vaste et diversifié. Les principales substances et méthodes dopantes sont :

❶ les androgènes et les stéroïdes anabolisants

❷ la THG

❸ les stimulants

❹ les agonistes bêta-2

❺ l'EPO

❻ l'hormone de croissance

❼ les glucocorticoïdes

❽ les narcotiques*

❾ les diurétiques

❿ l'autotransfusion

❶ Les androgènes et les stéroïdes anabolisants

Les androgènes sont les hormones mâles responsables de la fonction des spermatozoïdes et de l'apparition et du développement des caractères sexuels masculins. Ils comprennent principalement la testostérone* et son produit de transformation plus actif, la dihydrotestostérone.

Les stéroïdes anabolisants sont des analogues synthétiques de la testostérone modifiés chimiquement afin de diminuer les effets androgènes (propres aux caractères sexuels masculins), augmenter les effets anaboliques (permettent la synthèse de substances favorisant notamment l'augmentation de la masse musculaire) et réduire l'incidence d'effets indésirables.

Certains auteurs emploient une terminologie commune pour désigner les androgènes et les stéroïdes anabolisants : ils les appellent simplement stéroïdes, car ils ont la même structure chimique de base.

Les produits les plus utilisés au Québec et au Canada sont la nandrolone (Deca-Durabolin® ou Durabolin®), le danazol (Cyclomen®), la fluoxymestérone (Halotestin®), l'oxandrolone (Oxandrin®), l'oxymétholone (Anapolon 50®) et le stanozolol (Winstrol®).

Les androgènes et les stéroïdes anabolisants ont la même structure chimique de base

Les stéroïdes ont plusieurs applications thérapeutiques licites : hypogonadisme mâle (déficiences fonctionnelles des testicules à la puberté ou ultérieurement au cours de la vie), retard de croissance, ostéoporose, réparations tissulaires, anémies, cancer du sein.

Ils sont aussi utilisés illégalement par les sportifs comme substances dopantes. Leur administration se fait par voie orale ou intramusculaire.

Les produits anabolisants, peuvent entraîner de nombreux effets indésirables

Les produits anabolisants, notamment les androgènes et les stéroïdes anabolisants, peuvent entraîner de nombreux effets indésirables :

→ **effets propres aux adolescents** : arrêt de croissance

→ **effets propres à la femme** : hirsutisme (développement excessif des poils, notamment sur le visage), masculinisation de la voix et du corps, alopécie (perte des cheveux), atrophie des seins et de l'utérus, hypertrophie du clitoris, irrégularités menstruelles, aménorrhée (absence de menstruations) et oligoménorrhée (faibles menstruations)

→ **effets propres à l'homme** : gynécomastie (développement des seins), atrophie des testicules, diminution de la libido, baisse de la fertilité, impuissance

→ **effets communs à l'homme et à la femme** :
- acné sévère
- troubles musculosquelettiques : ruptures des tendons, déchirements musculaires
- troubles hépatiques : développement de kystes sanguins dans le foie, jaunisse, cancer du foie
- troubles cardiovasculaires : augmentation des risques d'artériosclérose, de troubles thrombo-emboliques, d'infarctus du myocarde, d'accidents cérébrovasculaires, d'œdème et d'hypertension

- troubles nerveux : anxiété, irritabilité agressivité, perte de la perception de certaines réalités et valeurs, insomnie, cauchemars, dépression, pensées suicidaires, confusion mentale, hallucinations, idées de grandeur, trouble paranoïde*, schizophrénie* et autres psychoses
- dépendance physique* et psychologique*

❷ La THG

LA THG était jusqu'à récemment indécelable

Au cours des dernières années, un nouveau stéroïde anabolisant, la tétrahydrogestrinone ou THG, a ébranlé le monde du sport. Cette substance synthétique, altérée chimiquement, a été développée par le laboratoire Balco à San Francisco. Elle était jusqu'à récemment indécelable. Elle a été détectée dans l'urine de plusieurs athlètes de haute compétition (Dwain Chambers, Chrystie Gaines, Regina Jacobs, Kevin Thot) et identifiée par le laboratoire analytique olympique de l'Université de Californie à Los Angeles (UCLA). La chasse à cette nouvelle substance dopante a été lancée au niveau mondial par le Comité international olympique (CIO) dès 2003.

La présence de THG dans le corps humain peut durer environ deux mois si elle a été administrée par voie intramusculaire mais moins d'une semaine si elle a été prise par voie orale.

❸ Les stimulants

Les amphétamines, la cocaïne, la caféine, l'éphédrine et les produits dérivés sont les plus utilisés. Ils sont administrés par voie orale, rectale, nasale ou injectable.

Les stimulants sont consommés pour accroître l'attention et la concentration, pour améliorer les temps de réaction, ainsi que pour réduire la sensation de fatigue. Ils augmentent l'agressivité et font perdre du poids.

Ces produits agissent sur le système cardiovasculaire et neurologique. Leur consommation peut entraîner la tachycardie (accélération du rythme cardiaque), des arythmies cardiaques, l'hypertension, la déshydratation, des maux de tête, des vertiges, des tremblements et des troubles nerveux (anxiété, irritabilité, agressivité, insomnie, convulsions, psychose).

Le dépassement du seuil physiologique de la fatigue entraîné par l'usage de ces substances peut provoquer des états de faiblesse pouvant aller jusqu'à l'épuisement, voire jusqu'à la mort.

❹ Les agonistes bêta-2

Ces produits stimulent les récepteurs* bêta-2 de l'adrénaline. Les plus connus sont le salbutamol (Ventolin®), la terbutaline (Bricanyl®), le fénotérol (Berotec®), le salmétérol (Serevent®) et le formotérol (Foradil®). Ils sont utilisés en médecine pour dilater les bronches chez les asthmatiques.

Les spécialistes de sports d'endurance qui se dopent aux agonistes bêta-2 recherchent l'amélioration de la fonction respiratoire, l'augmentation de la capacité d'effort et de résistance, la diminution du temps de récupération et la stimulation de la volonté.

Pourtant, ces substances ne sont pas sans dangers. À la longue, les agonistes bêta-2 entraînent des tremblements, des maux de têtes et des risques d'arrêt cardiaque.

À la longue, les agonistes bêta-2 entraînent des tremblements, des maux de têtes et des risques d'arrêt cardiaque

L'EPO n'est pas sans danger : son usage inapproprié peut conduire au syndrome grippal, aux accidents cardiaques, aux embolies, au diabète et à la cirrhose

❺ L'EPO

L'érythropoïétine ou EPO est une hormone produite par les reins qui stimule la production des érythrocytes, c'est-à-dire des globules rouges du sang.

Employée en médecine pour traiter l'insuffisance rénale ou certains types d'anémies, elle est utilisée par les sportifs qui trichent pour augmenter la capacité de transporter l'oxygène jusqu'aux muscles et donc favoriser l'endurance et la performance. Elle doit être prise avec du fer.

L'EPO n'est pas sans danger : son usage abusif ou inapproprié peut conduire au syndrome grippal (fièvre, fatigue intense, frissons, douleurs dans les muscles et les articulations, etc.), aux accidents cardiaques, aux embolies, au diabète et à la cirrhose.

❻ L'hormone de croissance

L'hormone de croissance ou somatotropine (en anglais, hGH) est recherchée par les athlètes qui trichent pour deux raisons principales :

→ une augmentation de la masse musculaire

→ une augmentation de l'endurance physique par l'aptitude à résister à la fatigue

Elle peut être administrée par voie orale ou injectable.

Les principaux effets indésirables de l'hormone de croissance sont la croissance des os longs (pieds qui grandissent, déformations), l'allongement des maxillaires (déchaussement des dents), l'arthrose, la perturbation de la fonction thyroïdienne, les troubles cardiovasculaires (maladies du cœur, hypertension, accidents cérébrovasculaires), les troubles nerveux (irritabilité, sautes d'humeur, dépression, psychose) et les risques de diabète et de cancers.

❼ Les glucocorticoïdes

Les glucocorticoïdes sont des hormones stéroïdiennes dont les plus connues sont le cortisol (encore appelée hydrocortisone) et la cortisone.

Ces produits qui soulagent la fatigue ont une action psychostimulante et anti-inflammatoire. Ils augmentent la tolérance à la douleur et permettent de poursuivre un effort qui serait insupportable dans des conditions normales.

L'usage prolongé des glucocorticoïdes peut entraîner les effets secondaires suivants :

→ une fragilité des tendons et des déchirures musculaires
→ un retard de la cicatrisation des plaies
→ une rétention du sodium et d'eau pouvant entraîner des œdèmes et une prise de poids
→ des dépôts de graisse au niveau du cou et du visage
→ une hyperglycémie (augmentation du taux de sucre dans le sang) qui augmente le risque de diabète
→ une augmentation de la sécrétion d'acide par l'estomac qui augmente le risque d'ulcère
→ des infections locales et générales

Les symptômes* de l'abus* des glucocorticoïdes vont de la simple fatigue chronique avec une chute des performances, à une défaillance cardiovasculaire pouvant conduire au décès.

Les glucocorticoïdes peuvent entraîner une dépendance physique*.

Les glucocorticoïdes augmentent la tolérance à la douleur et permettent de poursuivre un effort qui serait insupportable dans des conditions normales

Les narcotiques sont utilisés pour supprimer ou atténuer la sensibilité à la douleur et provoquer une euphorie

❽ Les narcotiques

Les narcotiques*, encore appelés analgésiques* opiacés*, sont des produits qui assoupissent et engourdissent la sensibilité. Ils comprennent une vingtaine de produits dont le chef de file est la morphine.

Les narcotiques sont utilisés pour supprimer ou atténuer la sensibilité à la douleur et provoquer une euphorie*.

Ils entraînent des effets nocifs : diminution de l'attention et de la concentration, troubles de coordination, constipation, risques de dépression respiratoire, dépendance physique* et psychologique*.

❾ Les diurétiques

Les diurétiques sont employés dans le milieu sportif pour éliminer les liquides de l'organisme (ils suppriment notamment la rétention d'eau causée par le dopage aux glucocorticoïdes), perdre rapidement du poids et pour échapper aux contrôles antidopage (produits masquants) en supprimant les traces de substances dopantes. Pour cette dernière utilisation, des urines trop diluées peuvent empêcher la détection des substances interdites.

Les principaux risques liés aux diurétiques sont la déshydratation, les déséquilibres minéraux, l'affaiblissement musculaire, les arythmies cardiaques et l'hypotension.

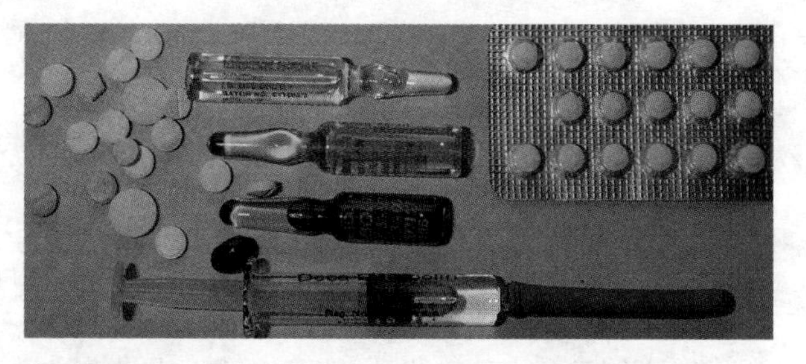

⑩ L'autotransfusion

L'autotransfusion consiste à prélever du sang à un athlète pour le lui réinjecter par la suite : pendant l'entraînement, environ un litre de sang est prélevé ; celui-ci est alors conservé selon un protocole rigoureux ; dans la semaine qui précède la compétition (un à sept jours auparavant), le sang est retransfusé.

En fournissant plus de globules rouges, cette technique augmente la capacité de transport d'oxygène aux muscles, ce qui améliore l'endurance musculaire et les performances de l'athlète. Les effets peuvent se prolonger pendant deux semaines.

Les principaux risques associés à l'autotransfusion sont une réaction de destruction des globules rouges, les réactions allergiques, la transmission d'infections bactériennes ou virales et l'augmentation de la viscosité du sang qui peut entraîner des problèmes cardiovasculaires.

→ HISTORIQUE

Les débuts de l'utilisation par l'homme de substances destinées à améliorer les capacités de l'organisme remontent à environ 5 000 ans. À cette époque, les propriétés antifatigue de certaines plantes telles que l'éphédra (dont dérive l'éphédrine, un stimulant encore consommé de nos jours par les sportifs) étaient connues de diverses civilisations.

Vers les années 750 avant Jésus-Christ, on assiste à la naissance des Jeux d'Olympie qui connaissent une grande popularité et qui s'accompagnent d'honneurs grandioses pour les sportifs triomphants. Déjà, les athlètes recherchaient l'augmentation de leurs performances à travers l'alimentation.

Plusieurs siècles après, l'utilisation des plantes à des fins stimulantes devient répandue dans le monde : la noix de Kola est consommée par plusieurs peuples d'Afrique tropicale pour les vertus de stimulation physique, sexuelle et intellectuelle de ses graines ; les feuilles et les racines d'Iboga (dont provient l'ibogaïne) augmentent l'endurance des natifs du Gabon ; les feuilles de coca sont mastiquées par diverses populations d'Amérique du Sud pour diminuer les sensations de faim, de fatigue et de froid et les habitants du Tyrol utilisent pour eux et leurs animaux de faibles quantités d'arsenic d'origine naturelle pour combattre la fatigue et les troubles respiratoires.

Plus récemment, vers 1930, on assiste à la découverte des androgènes (hormones mâles). Kenyon et ses collaborateurs remarquent que l'administration de testostérone* à des hommes atteints d'hypogonadisme (déficience des testicules) stimule la croissance musculaire. Rapidement, plusieurs dérivés sont synthétisés puis utilisés chez l'humain pour augmenter ses performances physiques. En 1939, les androgènes sont administrés aux troupes allemandes pour augmenter leur agressivité au combat. Le recours aux stéroïdes devient très répandu au cours des années 1950 chez les athlètes olympiques.

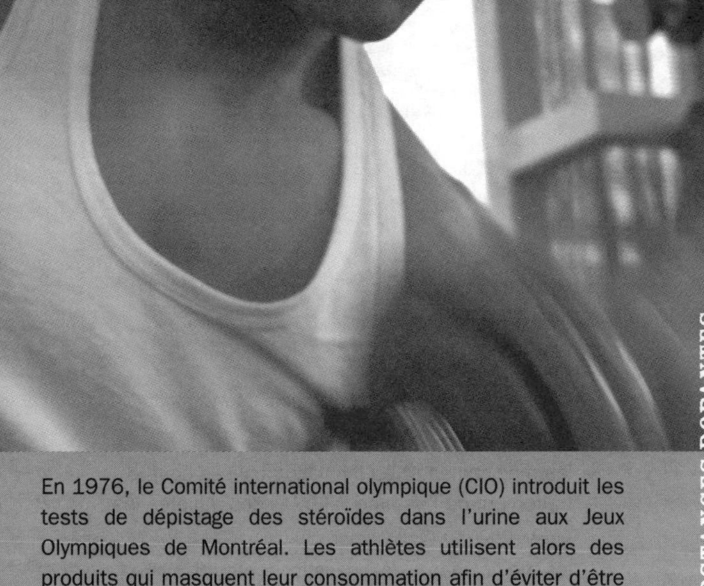

En 1976, le Comité international olympique (CIO) introduit les tests de dépistage des stéroïdes dans l'urine aux Jeux Olympiques de Montréal. Les athlètes utilisent alors des produits qui masquent leur consommation afin d'éviter d'être détectés. En 1988, lors des Jeux Olympiques de Séoul, des méthodes sophistiquées de détection de faibles quantités de stéroïdes dans l'urine sont introduites. Ben Johnson est disqualifié et expulsé des jeux après qu'un test ait révélé la présence de stanozolol.

Lors des Jeux Olympiques de Sydney de 2000, le CIO introduit les tests sanguins. En août 2001, le CIO, les fédérations internationales et les gouvernements conviennent d'établir à Montréal le siège social de l'Agence Mondiale Antidopage (AMA). Celle-ci ouvre ses portes en juin 2002 sous la présidence de l'avocat montréalais Richard Pound.

En 2006, l'Agence Mondiale Antidopage multiplie les contrôles au hasard des athlètes d'élite et met au point de nouvelles méthodes sophistiquées de détection du dopage* afin d'assurer l'intégrité des sports de compétition.

SUBSTANCES **DOPANTES**

LES CHIFFRES D'UNE RÉALITÉ QUÉBÉCOISE CHEZ LES ATHLÈTES QUÉBÉCOIS

→ Plus de 25 % des athlètes québécois ont utilisé, au cours de l'année 2002[5, 25], une ou plusieurs substances ou méthodes totalement interdites ou soumises à des restrictions par l'Agence mondiale antidopage. Soixante et onze pourcent de ces athlètes avaient moins de 17 ans).

→ Parmi ces substances, on retrouve :

- les médicaments* en inhalation utilisés pour le traitement de l'asthme : 7,92 % des athlètes les ont consommés
- les médicaments décongestionnants : 6,33 %
- les comprimés de caféine : 3,95 %
- les stimulants : 2,32 %
- la cocaïne : 2,16 %
- les amphétamines : 1,48 %
- les narcotiques* : 1,12 %
- les stéroïdes anabolisants : 0,98 %

PRODUIT **ILLICITE**

PRODUIT **LICITE**

QUE PRÉVOIT LA LOI ?

→ Le dopage* fait l'objet d'interdictions nationales et internationales dans le domaine du sport. Le Québec et le Canada appliquent les conventions internationales réglementant le sport, notamment celles du Comité international olympique (CIO).

→ Le code mondial antidopage détermine que lorsqu'un athlète est testé positif lors d'une compétition, tous les résultats acquis lors de ladite compétition sont automatiquement invalidés. Les sanctions de base sont de deux ans de disqualification pour une première violation de dopage et la disqualification à vie pour une deuxième infraction.

→ Les substances dopantes sont souvent des médicaments*. Ainsi, en dehors des normes sportives, l'usage, la distribution et le transport sont régis par la *Loi sur les aliments et drogues*. Des sanctions criminelles sont prévues lors des infractions reliées aux produits inclus dans les annexes de la *Loi réglementant certaines drogues et autres substances*. Ainsi, les stéroïdes anabolisants sont inscrits à l'annexe IV de cette loi.

→ La possession illégale, le trafic, la possession en vue d'en faire le trafic, la production, l'importation et l'exportation sont illégaux.

Des vapeurs nocives qu'il vaut mieux éviter !

SUBSTANCES **VOLATILES**

LES SUBSTANCES VOLATILES, QU'EST-CE QUE C'EST ?

Les substances volatiles, connues également sous le terme anglais *inhalants*, représentent un groupe hétérogène de produits dont l'inhalation des vapeurs provoque des effets psychotropes*. Présentes dans des produits domestiques, industriels et médicaux, ces substances sont classées en trois grandes catégories :

→ les solvants volatils

→ les nitrites, communément appelés *poppers*

→ les anesthésiques* généraux volatils représentés principalement par le protoxyde d'azote (gaz hilarant)

SOLVANTS VOLATILS

Les solvants volatils sont des psychotropes puissants, facilement disponibles et de très faible coût. On les retrouve dans des colles, la laque, le vernis, la peinture en aérosol, le diluant à peinture, le liquide correcteur, l'essence, le combustible à briquet, les liquides antiadhésifs en vaporisateur, les réfrigérants, certains agents nettoyants et plusieurs autres produits domestiques et industriels.

Les solvants les plus connus sont l'acétone, l'éther et le trichloréthylène, utilisé principalement pour le dégraissage de pièces métalliques et le nettoyage à sec de vêtements.

Effets et dangers des solvants volatils

Leurs effets ressemblent à ceux d'une intoxication* instantanée à l'alcool. Leur emploi régulier et abusif est particulièrement fréquent chez les adolescents et les individus les plus démunis. Leur abus* présente des risques très élevés et peut conduire à des troubles psychologiques, neuromoteurs, sanguins, hépatiques, cardiovasculaires et respiratoires. Quelques décès sont survenus au Québec suite à leur inhalation.

Solvants volatils et dépendance

Une faible proportion de consommateurs de solvants volatils développent une dépendance* significative. L'usage compulsif chronique des solvants volatils peut s'installer chez le consommateur régulier et entraîner des problèmes physiques, psychologiques et sociaux. La dépendance physique* est généralement faible et les symptômes* de sevrage* sont habituellement bénins.

L'abus de solvants volatils présente des risques très élevés

NITRITES OU *POPPERS*

Les *poppers* comprennent principalement le nitrite d'amyle et le nitrite de butyle. Ils se présentent sous la forme de liquides volatils dont les vapeurs sont aspirées par le nez. Ce sont des vasodilatateurs* utilisés en médecine pour soigner certaines maladies cardiovasculaires.

Une bouteille de 30 ml de nitrite permet des centaines d'inhalations.

Les nitrites sont aussi présents dans certains produits homéopathiques et employés comme adjuvants* pour certaines préparations pharmaceutiques et comme solvants industriels.

Effets et dangers des *poppers*

À fortes doses, les poppers peuvent entraîner des vertiges violents, des évanouissements, une syncope et une dépression respiratoire

Les effets des *poppers* sont quasiment immédiats : brève bouffée vertigineuse et stimulante.

L'usager ressent l'euphorie*, ainsi qu'une sensation de vive chaleur et sa sensualité est exacerbée. Cet effet dure à peu près deux à trois minutes. En provoquant une dilatation des vaisseaux périphériques, les nitrites réduisent l'apport de sang au cerveau, ce qui entraîne une privation en oxygène. Cet effet semble contribuer à la sensation aphrodisiaque qu'ils produisent. Ils sont utilisés pour augmenter le plaisir et faciliter certaines pratiques sexuelles.

Les effets indésirables immédiats les plus fréquents sont les vertiges, les maux de tête, le bourdonnement dans les oreilles, l'augmentation de la pression interne de l'œil, la sensibilité à la lumière et un arrière-goût caractéristique.

À fortes doses, les *poppers* peuvent entraîner des vertiges violents, des évanouissements, une syncope et une dépression respiratoire.

Une consommation régulière peut se traduire par des éternuements, de l'écoulement nasal, l'inflammation des muqueuses nasales, des croûtes jaunâtres autour du nez et des lèvres, des lésions des cloisons nasales, des rougeurs et des gonflements du visage, des distorsions de la perception, des problèmes passagers d'érection et une forme grave d'anémie. L'association des poppers avec d'autres vasodilatateurs* peut conduire à un collapsus cardiovasculaire. En cas de combinaisons avec d'autres psychotropes*, les risques de toxicité* sont accrus.

Poppers et dépendance

L'usage régulier des nitrites conduit à une dépendance psychologique*. Ils ne produisent habituellement pas de dépendance physique* ni de syndrome de sevrage* à l'arrêt de la consommation.

PROTOXYDE D'AZOTE

Le protoxyde d'azote, encore appelé gaz hilarant ou oxyde nitreux, est un gaz liquéfié sous sa propre pression et conservé dans des bouteilles métalliques. Il peut être utilisé comme gaz de pressurisation, aérosol alimentaire ou comme anesthésique* général.

Disponible en épicerie dans les canettes de crème fouettée, certains adolescents aspirent son contenu. On peut également se le procurer sous la forme de petits cylindres destinés aux appareils servant à faire de la crème fouettée. Il fait aussi l'objet d'usages détournés dans les soirées et les festivités. Il est inhalé sous forme de ballons vendus à faible coût. Le consommateur peut aspirer une ou plusieurs bouffées de protoxyde d'azote.

Effets et dangers du protoxyde d'azote

Le protoxyde d'azote provoque de l'euphorie* souvent accompagnée de rires incontrôlables (d'où le nom de gaz hilarant), des effets sédatifs*, des maux de tête, des modifications de la conscience, des distorsions visuelles et auditives, de l'agitation, de l'angoisse, des nausées, des vomissements et une faiblesse musculaire.

Il peut présenter des risques immédiats ou à long terme pour la santé.

Risques immédiats :

Les effets très rapides et de courte durée peuvent inciter à consommer plusieurs ballons successivement, exposant l'usager à des risques d'asphyxie par manque d'oxygène (surtout si le gaz est pur) ou par aspiration pulmonaire des vomissements. Les risques sont accrus lorsque le protoxyde d'azote est utilisé en association avec d'autres produits (alcool, cannabis, ecstasy, etc.).

Risques à long terme :

L'utilisation chronique (utilisation quotidienne, par exemple) peut entraîner des troubles neurologiques (tremblements, incoordination des mouvements) liés à une carence en vitamine B_{12}. Elle peut provoquer des chutes et parfois des traumatismes.

Protoxyde d'azote et dépendance

On n'a pas établi de dépendance physique* au protoxyde d'azote. La dépendance psychologique* peut se développer à la suite d'un usage régulier. Elle est liée à l'euphorie* et aux sensations agréables provoquées par cet agent.

SUBSTANCES VOLATILES

LES CHIFFRES D'UNE RÉALITÉ QUÉBÉCOISE

→ D'après l'Enquête sur les toxicomanies au Canada (ETC) menée en 2004[14], 2,1 % des Québécois de 15 ans et plus auraient consommé au moins une fois des substances volatiles au cours de leur vie. Ceci représente près de 125 000 personnes.

→ En 2004[5], une étude démontre que 1,9 % des élèves du secondaire (12 à 17 ans) ont consommé des substances volatiles au cours de la dernière année (2,3 % des garçons et 1,5 % des filles). Ceci représente près de 9 000 élèves du secondaire.

Tendance statistique : ↓ de 0,7 % de 2000[6] à 2002[7], puis ↓ de 0,3 % de 2002[7] à 2004[5].

→ Selon une étude menée en 2003[17] auprès des jeunes de la rue de Montréal (14-23 ans), 33 % de ces jeunes ont déclaré avoir fait usage de solvants volatils ou de colle au moins une fois dans leur vie.

QUE PRÉVOIT LA LOI ?

→ Les solvants volatils sont des substances licites*, en vente libre et facilement accessibles. Certaines mesures de contrôle sont encouragées auprès des détaillants dans la vente de colles aux mineurs.

→ Les nitrites (*poppers*) ne font pas partie des annexes de la *Loi réglementant certaines drogues et autres substances.* Ce sont des médicaments* qui nécessitent une ordonnance.

→ Le protoxyde d'azote est régi par la *Loi sur les aliments et drogues.* Son usage détourné en tant que produit pharmaceutique peut être condamné.

Brun ou blond, léger ou super léger, roulé, en cigare ou fumé dans une pipe, le tabac nuit tellement à la santé qu'il a contribué, en 2002, à 37 209 décès au Canada, dont 10 414 au Québec

TABAC

LE TABAC, QU'EST-CE QUE C'EST ?

Le tabac est une plante cultivée dans le monde entier. Après séchage, les feuilles sont laissées à l'air libre ou macérées pendant un certain temps afin d'obtenir un goût spécifique.

Le tabac est la deuxième substance psychoactive* la plus consommée dans le monde, après la caféine. La plante de tabac appartient au genre *Nicotiana* et la principale espèce cultivée s'appelle *Nicotiana tabacum*.

Le tabac peut être fumé (sous forme de cigarette, de cigare ou dans une pipe), chiqué (pris par voie buccale) ou prisé (pris par voie nasale). Récemment, des petits sachets de tabac ont été mis sur le marché. Ils sont conçus pour les consommateurs de tabac sans fumée. Le sachet est laissé dans la bouche pendant 15 minutes, puis jeté.

EFFETS ET DANGERS DU TABAC

Environ 4 800 composés chimiques ont été identifiés dans la fumée de cigarette. La majorité d'entre eux sont dangereux pour la santé et plus d'une soixantaine ont été reconnus comme cancérigènes.

Les trois produits du tabac les plus susceptibles d'entraîner des effets néfastes pour la santé sont :

→ le goudron : il contient la majorité des substances cancérigènes
→ le monoxyde de carbone : il provoque une diminution du transport de l'oxygène dans le sang
→ la nicotine : elle est responsable des troubles cardiovasculaires et de la dépendance*

La teneur de ces produits doit être indiquée sur les paquets de cigarettes, selon les lois gouvernementales du Québec, du Canada et de plusieurs pays. Le danger de ces substances pour la santé croît avec l'usage.

La nicotine du tabac est un **stimulant** mineur du système nerveux central. Tout comme les autres substances psychoactives qui entraînent une dépendance*, elle accroît la libération de dopamine* dans le cerveau. La nicotine imite l'action d'un neuromédiateur* naturel, l'acétylcholine. Elle se lie aux récepteurs* nicotiniques dans le cerveau. Elle facilite également la libération des endomorphines, ce qui expliquerait en partie son effet analgésique*.

La nicotine du tabac est un stimulant mineur du système nerveux central

Le cancer du larynx est le type de cancer qui survient le plus fréquemment chez les fumeurs, après celui du poumon

Les produits toxiques du tabac agissent en particulier sur :

→ **La fonction respiratoire**

Les fumeurs s'exposent à des troubles au niveau de tout l'appareil respiratoire, notamment la bronchite chronique, l'emphysème et le risque de cancer du poumon.

Les personnes qui fument exclusivement le cigare ou la pipe présentent deux à trois fois plus de probabilités de souffrir d'un cancer du poumon que les non-fumeurs. Le cancer du larynx est le type de cancer qui survient le plus fréquemment chez les fumeurs, après celui du poumon.

Le tabagisme passif (fumée secondaire*) augmente le risque de cancer du poumon de 20 à 30 % chez les conjoints ou les enfants non-fumeurs et d'environ 15 à 20 % chez les collègues de travail qui n'ont jamais fumé. Ce risque s'accroît proportionnellement au nombre d'années d'exposition à la fumée de cigarette.

Le fait de fumer des cigarettes « légères » ou « douces » ne diminue en rien les risques de souffrir d'un cancer du poumon, probablement parce que les fumeurs ont tendance à modifier leur technique d'inhalation afin de retirer le maximum de nicotine de ce type de cigarettes.

→ **La fonction cardiovasculaire**

Le tabac perturbe le rythme cardiaque, augmente la pression artérielle et provoque l'artériosclérose. Les risques coronariens et les décès par infarctus du myocarde sont 1,5 à 3 fois plus élevés chez les fumeurs que chez les non-fumeurs, dépendamment de leur âge. Ces risques vasculaires touchent aussi les artères du cerveau et les membres inférieurs et peuvent conduire à des accidents vasculaires cérébraux (AVC), à des amputations et à l'impuissance sexuelle.

→ **La fonction digestive**

La nicotine augmente la sécrétion des acides gastriques et accroît les risques d'ulcères de l'estomac et du duodénum. Elle est aussi responsable des cancers gastro-intestinaux. D'autre part, le tabagisme contribue au développement du reflux gastro-œsophagien.

→ **Le système nerveux**

Le tabac limite l'apport d'oxygène au cerveau et aux muscles. Il est responsable de maux de tête, de vertiges et d'une diminution de la capacité à faire de l'exercice.

→ **Le développement de plusieurs types de cancers**

Au Québec et au Canada, environ 30 % des décès dus au cancer sont attribuables au tabac. Le cancer du poumon est le cancer le plus meurtrier au Québec et au Canada, autant chez l'homme que chez la femme. Le tabac augmente aussi substantiellement le risque de développer les cancers de la bouche, du pharynx, du larynx, de l'œsophage, de l'estomac, du pancréas, du rein, de la prostate, de l'uretère, de la vessie et du col de l'utérus. La fumée secondaire* accroît également le risque de cancer.

Au Québec et au Canada, environ 30 % des décès dus au cancer sont attribuables au tabac

→ Le déroulement de la grossesse

Outre une baisse de la fertilité provoquée par le tabagisme, une mère fumeuse a plus de risques de faire une grossesse extra-utérine ou une fausse-couche qu'une mère non-fumeuse. Elle présente également deux fois plus de risques d'accoucher prématurément.

Le bébé d'une mère fumeuse est plus à risque d'avoir un poids inférieur à la moyenne à la naissance, un périmètre crânien réduit, un retard du développement physique et mental, un délai de croissance, des maladies respiratoires et cardiaques et de mourir du syndrome de la mort subite du nouveau-né.

L'espérance de vie est en moyenne 10 ans plus longue chez un non-fumeur que chez un fumeur régulier

→ L'espérance de vie

Le tabac est la principale cause de décès prématuré. Il tue près de la moitié des individus qui fument durant la majeure partie de leur vie et 50 % de ces mortalités surviennent avant l'âge de 69 ans. L'espérance de vie est en moyenne 10 ans plus longue chez un non-fumeur que chez un fumeur régulier.

En résumé, les bénéfices sanitaires de l'arrêt du tabagisme sont considérables.

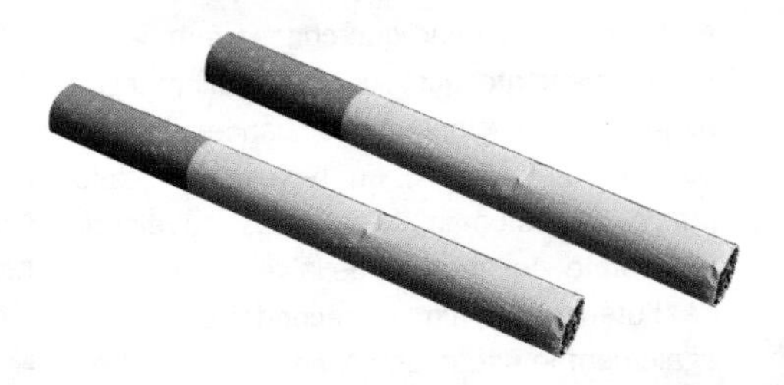

TABAC ET DÉPENDANCE

La dépendance physique* au tabac est présente chez la plupart des fumeurs réguliers. La dépendance psychologique* occupe également une place importante dans leur vie.

La dépendance physique au tabac est présente chez la plupart des fumeurs réguliers

Le fumeur régulier qui s'arrête brutalement de fumer ressent une sensation de manque*.

Il peut souffrir des symptômes* de sevrage* suivants : malaise général, anxiété, irritabilité, impatience, agitation, nervosité, frustration, hostilité, colère, tristesse, dépression, envie irrésistible de fumer, diminution de la vigilance, difficultés d'attention, troubles de concentration, baisse des performances intellectuelles et psychomotrices, fatigue, somnolence, insomnie, maux de tête, étourdissements, vertiges.

Il est possible de s'arrêter de fumer sans aide particulière. Cependant, on peut trouver auprès d'un médecin ou d'un pharmacien des conseils et des aides pour cesser de fumer.

Les nombreuses méthodes d'aide au sevrage peuvent être utilisées avec ou sans ordonnance :

→ **les produits de remplacement de la nicotine** : ces produits comprennent les gommes à mâcher (Nicorette® gomme, Nicorette® gomme Plus), les timbres transdermiques* ou *patchs** (Habitrol®, Nicoderm®) et certains inhalateurs (Nicorette® inhalateur). Ces méthodes de substitution* nicotinique permettent un sevrage progressif de la nicotine et réduisent les effets du manque* chez les fumeurs dépendants

→ **le bupropion à libération prolongée** (Zyban®) : son efficacité comme aide antitabagique a été démontrée dans plusieurs études cliniques. Cependant, il présente de nombreux effets indésirables

→ **les approches cognitives et comportementales** : programmes autodidactes, counseling antitabagique individuel, thérapies de groupe, groupes d'entraide et support social, techniques de modifications des habitudes tabagiques

→ **les méthodes alternatives** : homéopathie, acupuncture, hypnose, traitements au laser, etc.

Les produits de remplacement de la nicotine ou le bupropion à libération prolongée (Zyban®) doublent approximativement les chances d'arrêter de fumer comparativement à un placebo. Leur succès est plus grand quand on les combine avec des approches cognitives et comportementales.

→ HISTORIQUE

L'usage du tabac remonte aux anciennes civilisations américaines où il joua un rôle prépondérant dans les cérémonies religieuses. Les Mayas fument le tabac sous forme de cigares ou à l'aide de pipes. Les Aztèques le mâchent avec de la lime pour retrouver ses propriétés euphorisantes*. Les peuples natifs d'Amérique sont les premiers et les seuls utilisateurs du tabac au moment de la découverte du Nouveau-Monde par les Européens.

Au XVIe siècle, les Européens répandent l'usage du tabac en Amérique du Nord parmi les peuples amérindiens et les

Espagnols introduisent le tabac en Europe. Dans les années 1560, Jean Nicot, ambassadeur français au Portugal, croit dans les vertus médicinales du tabac. Il envoie des semences à la famille royale de France et fait sa promotion à travers le monde. Du fait de son grand intérêt pour la plante, son nom est donné au genre *Nicotiana* ainsi qu'à la nicotine, son ingrédient actif.

En 1964, le *U.S. Surgeon General's Report* établit clairement la relation entre la cigarette et diverses maladies, dont le cancer.

En 1997, le gouvernement du Canada adopte la *Loi sur le tabac*, visant à protéger la santé de la population. Cette loi est modifiée en 1998 et interdit alors la commandite d'événements sportifs, culturels ou autres par l'industrie du tabac, à partir du 1er octobre 2003. Depuis décembre 2000, les produits du tabac vendus au Québec et au Canada doivent désormais porter 16 mises en garde illustrées, couvrant 50 % des principales surfaces d'emballage exposées à la vue du public. Le 31 mai 2006, entrait en vigueur la grande majorité des modifications de la *Loi sur le tabac du Québec* adoptées en juin 2005 et qui, notamment, interdisent l'usage du tabac dans presque tous les lieux publics intérieurs, incluant les bars, les restaurants, les centres commerciaux et les salles de billard, de bingo et de quilles.

De nos jours, bien que la consommation de tabac ait diminué au Québec et au Canada, le tabagisme demeure la principale cause de maladies et de décès évitables. Le déclin de l'usage du tabac dans les pays industrialisés s'accompagne d'une hausse de sa consommation dans les pays en développement.

TABAC

LES CHIFFRES D'UNE RÉALITÉ QUÉBÉCOISE

→ Selon l'Enquête de surveillance de l'usage du tabac au Canada, 22 % des Québécois de 15 ans et plus avaient consommé du tabac en 2005[26]. Ceci représente plus de 1 300 000 personnes.

Tendance statistique : ↑ de 0,9 % de 2001[27] à 2003[28], puis ↓ de 3 % de 2003[28] à 2004[29], et enfin stabilisation en 2005[26].

→ Selon l'Enquête québécoise sur le tabac, l'alcool, la drogue et le jeu chez les élèves du secondaire, 18,8 % des élèves de 12 à 17 ans ont fumé du tabac le mois précédant l'enquête en 2004[30] (22,9 % des filles et 14,8 % de garçons). Ceci représente plus de 80 000 élèves du secondaire.

Tendance statistique : ↓ de 5,9 % de 2000[6] à 2002[27], puis ↓ de 3,3 % en 2004[30].

→ En 2004[30], les jeunes s'initiaient à la consommation d'une première cigarette complète à l'âge de 12 ans.

Tendance statistique : stabilisation de l'âge d'initiation depuis 2000[6].

QUE PRÉVOIT LA LOI ?

→ Le tabac est un produit licite*. La production, la vente et l'usage sont réglementés.

→ La *Loi sur le tabac* actuellement en vigueur au Canada date de 1997. Elle interdit à quiconque de fournir (vendre ou donner) du tabac à une personne âgée de moins de 18 ans dans un lieu public. Elle régit également les activités de commercialisation des fabricants et des commerçants. Cette loi restreint aussi la promotion publicitaire et contraint l'affichage de certains messages relatifs aux usages et aux dangers de la consommation du tabac. Elle agit donc sur l'étiquetage, l'emballage et l'affichage des produits du tabac. Le non-respect de ces conditions peut entraîner des amendes de 3 000 $ lors d'une première infraction et de 50 000 $ pour les infractions subséquentes.

→ Au Québec, c'est la *Loi sur le tabac*, adoptée en 2005 et appliquée depuis le 31 mai 2006 qui régit l'usage, la vente, la publicité et la promotion du tabac. Les principales dispositions de cette loi interdisent :

- l'usage du tabac dans presque tous les lieux publics intérieurs du Québec, notamment les bars, les brasseries, les tavernes, les restaurants, les commerces qui accueillent le public, les sites intérieurs où se déroulent des activités sportives, de loisirs, culturelles ou artistiques, les locaux où seuls les membres et leurs invités ont accès, les milieux de travail, les moyens de transport collectifs et les aires communes des immeubles d'habitation comprenant six logements ou plus.
- l'action de fumer à l'extérieur dans un rayon de neuf mètres des portes des établissements de santé et de services sociaux, des ressources intermédiaires, des centres d'éducation des adultes, des centres de formation professionnelle, des cégeps, des universités et des lieux de loisirs ou d'activités communautaires destinés aux mineurs.

- la vente du tabac dans les établissements de santé et de services sociaux, les écoles, les centres de formation professionnelle, les centres d'éducation des adultes, les établissements d'enseignement privé, les cégeps, les universités, les centres de la petite enfance, les garderies, les lieux où se déroulent des activités sportives, de loisirs, culturelles ou artistiques, les bars, les brasseries, les tavernes, les restaurants et les commerces où se trouve une pharmacie.
- d'autre part, depuis le 1er septembre 2006, il est interdit de fumer sur les terrains des établissements d'éducation préscolaire, des écoles primaires et secondaires, des centres de la petite enfance et des autres garderies (sauf les services de garde en milieu familial) aux heures où les enfants ou élèves y sont présents.
- enfin, à partir du 31 mai 2008, le gouvernement du Québec éliminera les étalages du tabac ou de son emballage à la vue du public dans les points de vente de tabac. Cependant, la mesure ne s'appliquera pas dans les points spécialisés de vente de tabac tels que définis dans la loi, les salons de cigares et les boutiques hors taxes.

→ Le contrevenant s'expose à des poursuites pénales devant une cour municipale. Ainsi, quiconque fait usage de tabac dans un endroit interdit est passible d'une amende de 100 $ à 300 $ pour une première infraction et de 200 $ à 600 $ en cas de récidive. Celui qui vend du tabac à un mineur s'expose à une amende de 500 $ à 2 000 $ pour une première infraction et de 1 000 $ à 6 000 $ en cas de récidive.

AGIR,
RÉAGIR,
AIDER,
ÊTRE AIDÉ

AGIR,
RÉAGIR, AIDER,
ÊTRE AIDÉ

L'usage récréatif*, l'abus* et la dépendance* concernent autant les adultes que les adolescents ou les plus jeunes. Mais la plupart de ces problèmes commencent à l'adolescence et la famille a un rôle essentiel à jouer pour éviter la consommation et pour intervenir lorsqu'un problème se présente. C'est pourquoi cette section consacre une place importante aux adolescents et aux moyens que peuvent utiliser les parents pour mieux encadrer et soutenir leurs enfants. Vous y trouverez également les ressources qui viennent en aide aux jeunes et à leurs parents ainsi que la démarche à suivre pour mieux les utiliser.

LA CONSOMMATION À L'ADOLESCENCE

Adolescence : entre quête d'autonomie et besoin des parents

L'adolescence est une période propice aux premières expériences, le plus souvent motivées par la curiosité ou la recherche de sensations nouvelles : premières amours, première cigarette, premières sorties. À cet âge, l'expérimentation est aussi une façon d'entrer dans un groupe ou de confirmer son appartenance à un groupe. Ces essais passent parfois par des excès. Qu'elles soient « bruyantes » (attitudes provocatrices) ou « silencieuses » (repli sur soi), ces manifestations ne signifient pas a priori que l'adolescent soit en difficulté.

Cette période de recherche et d'hésitation est souvent compliquée à vivre pour l'adolescent et son entourage. La discussion est d'autant plus difficile qu'à cet âge, l'adolescent peut ressentir l'aide des parents comme un obstacle à son indépendance, et en même temps, il a besoin de se sentir encadré par eux. Il s'agit donc pour les parents de naviguer entre cette quête d'autonomie et ce besoin important de soutien familial.

Ne pas préjuger d'une consommation

L'adolescence est une période propice aux premières expériences, le plus souvent motivées par la curiosité ou la recherche de sensations nouvelles

C'est aussi la période où l'adolescent est sollicité pour fumer, consommer de l'alcool et des drogues. Toute consommation de psychotropes*, même au stade de l'expérimentation et surtout lorsqu'il s'agit de produits illicites*, doit faire l'objet d'une attention particulière de la part des parents. Mais tout comme la consommation d'une bière ou d'un verre de vin ne rend pas alcoolique, l'adolescent qui expérimente occasionnellement le cannabis n'est pas

L'expérimentation, dans un contexte particulier, n'a pas forcément un caractère durable et rien ne sert de dramatiser un essai ou une erreur

un toxicomane*. L'expérimentation, dans un contexte particulier, n'a pas forcément un caractère durable et rien ne sert de dramatiser un essai ou une erreur. En outre, cette consommation, le plus souvent, ne conduira pas à une escalade vers des produits plus dangereux.

Les parents peuvent aider leurs enfants à prendre conscience des risques, en donnant des informations claires et précises. Par contre, la consommation régulière et excessive de substances psychotropes présente des risques et peut entraîner une dépendance*. Elle fait partie, le plus souvent, d'un ensemble de comportements à risques ou de symptômes* qui sont l'expression d'un malaise passager, ou de difficultés plus profondes. La rupture des liens avec la famille en est la conséquence la plus marquante. Lorsque la situation devient hors de contrôle, le recours à un professionnel de la santé ou à des ressources spécialisées devient nécessaire. Il sera question de ces ressources d'aide plus loin dans cette section.

L'importance du dialogue en cas de consommation

Quels que soient le produit et le stade de sa consommation, il est très important de maintenir le dialogue avec l'adolescent. Il doit se sentir soutenu et écouté. S'il consomme des produits illicites* ou fait un usage abusif d'alcool, par exemple, on peut tenter de découvrir avec lui les difficultés personnelles, familiales, scolaires ou autres, qui l'ont amené à ce comportement.

Dans ces discussions, il est important de valoriser l'adolescent et de l'encourager. Mieux vaut éviter de centrer toute la discussion sur les risques qu'il encourt pour sa santé : à cet âge, un discours trop alarmiste n'a que peu d'effet. Mieux vaut lui expliquer que l'adolescence est un moment important de construction de sa personnalité et que la consommation de drogues peut représenter un risque réel d'échec, scolaire ou social. Il est courant de constater que très souvent, un jeune répondra franchement à une question posée par un adulte en autorité s'il a été habitué à le faire pendant l'enfance.

Il faut choisir une façon et un moment d'aborder le sujet de la consommation d'alcool ou de drogue avec un adolescent. Mieux vaut se sentir un peu mal à l'aise au début que d'attendre par crainte d'une confrontation. En cas de forte dépendance* ou de difficultés psychologiques persistantes, il ne faut pas hésiter à demander une aide extérieure pour être éventuellement guidé vers des ressources spécialisées (voir : Comment obtenir de l'aide ?).

Comment aider une personne qui consomme des psychotropes ?

- → Il est nécessaire d'attendre que la personne ne soit plus sous l'effet de l'alcool ou de la drogue, avant de lui parler de vos inquiétudes au sujet de sa consommation
- → Écoutez-la sans la juger et sans lui faire la morale
- → Amenez-la à préciser où, quand, comment et avec qui elle consomme dans le but de la soutenir dans sa recherche de solutions

La brochure « Parler d'alcool avec ses enfants sans être dépassé » d'Éduc'Alcool est disponible en ligne à : www.educalcool.qc.ca.

La brochure « Trucs et conseils pour une meilleure harmonie familiale» est disponible en appellant gratuitement le CQLD au (514) 389-6336 ou en ligne à www.cqld.ca

→ Essayez, avec elle, d'évaluer les raisons de sa consommation. Si elle consomme pour fuir ses problèmes, cherchez avec elle d'autres façons de les résoudre

→ Amenez-la à prendre conscience des avantages et des inconvénients de cette consommation dans sa vie

→ Respectez son rythme

→ Suggérez-lui d'en parler à un professionnel de son école, de son travail, ou d'appeler une ligne téléphonique spécialisée. Vous pouvez même l'accompagner au besoin

→ Reconnaissez vos propres limites. Voyez jusqu'où vous pouvez l'aider sans en prendre toute la responsabilité, sachant que vous ne pouvez pas faire les choses à sa place

La famille : un milieu privilégié pour prévenir l'alcoolisme et la toxicomanie

Évoluer au sein d'une famille où règnent, de façon générale, des rapports harmonieux, constitue un facteur de protection important contre les difficultés d'adaptation dont témoignent la plupart des problèmes liés à la consommation de substances psychotropes. Faire des activités en famille, aussi simples soient-elles, est une source importante de rapprochement, tout comme faire participer les jeunes aux décisions les valorise et leur apprend à développer un bon jugement. Il est possible de se dire que l'on s'apprécie, même dans la routine du quotidien. L'important est d'être vrai et spontané. Être écouté, sentir que ce que vous dites mérite d'être entendu jusqu'au bout, voilà une façon de se sentir apprécié, accepté et compris. Pour y parvenir, il faut de la pratique et de la patience.

L'importance du dialogue en matière de prévention

Les parents peuvent commencer très tôt à parler de consommation de tabac, d'alcool et de drogue avec leurs enfants. Souvent, ce sont les enfants eux-mêmes qui posent des questions lorsqu'ils entendent parler de drogue à l'école ou dans des émissions de télévision. Le parent doit aussi se renseigner pour mieux connaître ces substances, leurs effets sur la santé ainsi que sur les lois qui en règlementent ou en interdisent l'usage. Une franche discussion sur le sujet deviendra une belle occasion pour un adolescent ou un préadolescent d'exprimer son point de vue et d'entendre celui de l'adulte. Il sera plus en mesure, par la suite, de résister à la pression des amis et de l'entourage.

L'influence des autres à l'adolescence

L'influence des amis n'est pas mauvaise en soi. Ce qui est primordial, c'est d'être capable de choisir par soi-même, en fonction de ses propres valeurs plutôt que par peur d'être rejeté. Aujourd'hui, tous les jeunes sont exposés et seront confrontés, un jour ou l'autre à des propositions de consommer des psychotropes*. Leur résistance face à la pression de leur entourage dépendra entre autres du sentiment de confiance qu'ils ont en eux-mêmes.

L'estime de soi se développe d'abord dans le milieu familial à partir des sentiments positifs manifestés par les parents dès le plus jeune âge de l'enfant

L'estime de soi se développe d'abord dans le milieu familial à partir des sentiments positifs manifestés par les parents dès le plus jeune âge de l'enfant. De là se développe peu à peu la capacité de faire des choix responsables.

Résoudre ses problèmes à l'adolescence

Tous les jours, on est appelé à prendre des décisions qui sont parfois difficiles. L'offre de consommer des psychotropes* en est un exemple. On peut aider les jeunes en leurs apprenant à utiliser un processus simple de résolution de problème :

→ **Clarifier le problème à résoudre et la décision à prendre** : un jour de fête à l'école, un ami m'invite à partager une bière dans les toilettes.

→ **Considérer les différentes options et les conséquences de chacune** : si j'accepte que va-t-il se passer ? Si je refuse que va-t-il se passer ?

→ **Choisir la solution qui me semble la meilleure et la mettre en application** : je prends la décision d'accepter ou je prends la décision de refuser et j'en assume les conséquences.

Pour toute personne, prendre une décision est un apprentissage. Le sentiment d'avoir pris une bonne décision devient une source de bien-être intérieur qui augmente la confiance en soi. Se tromper et prendre une mauvaise décision peut aussi être une source d'apprentissage qui permet de mieux comprendre les conséquences de ses choix.

La prévention à l'école

L'école joue aussi un rôle important dans la prévention de l'usage et de l'abus des psychotropes*. Plusieurs initiatives dans le milieu scolaire visent à fournir des informations claires sur l'alcool et les drogues aux élèves selon leur niveau scolaire. Les écoles ont aussi des programmes d'aide pour les jeunes qui éprouvent des difficultés en raison de leur consommation d'alcool ou de drogue. Il est bon de les connaître et de les faire connaître à vos enfants.

Au Québec, les jeunes s'initient de plus en plus tôt à la consommation d'alcool et de drogue, parfois à la fin du primaire et surtout au début du secondaire. Ce qui oblige les administrateurs, les professeurs et les parents des élèves à tenir compte de cette réalité en supportant les initiatives de prévention à l'école plutôt que d'ignorer cette réalité. Les programmes d'éducation sur les drogues en milieu scolaire occupent une place importante dans la prévention de ces problèmes.

Aucune école ne doit tolérer la vente ou la consommation de psychotropes. Plusieurs écoles polyvalentes se sont dotées de protocoles d'intervention et de mesures progressives d'intervention. Ces mesures visent à aider l'élève pris à consommer des drogues dès la première occasion et sans l'exclure de l'école. L'application de ce programme exige la collaboration de la direction de l'école, des professeurs et des parents qui doivent adopter une attitude commune et cohérente face à un élève fautif.

Les programmes d'éducation sur les drogues en milieu scolaire occupent une place importante dans la prévention des problèmes de consommation

COMMENT OBTENIR DE L'AIDE

Il s'agit d'avoir un jour cherché de l'aide en dehors de la famille et des amis pour se rendre compte qu'il est parfois difficile de s'y retrouver et d'entreprendre une démarche cohérente et efficace malgré l'existence de ressources présentes presque partout au Québec. Le domaine de la toxicomanie* n'échappe pas à cette réalité.

La présente section vous propose les éléments d'une démarche qui facilitera votre recherche de solutions.

Le point de départ d'une démarche d'aide

→ La ligne *Drogue : aide et référence*

Peu importe la région du Québec où vous résidez, peu importe le jour ou l'heure, il existe un service téléphonique confidentiel et disponible 24 heures par jour et 7 jours sur 7. Il permet de connaître les ressources disponibles dans votre région et d'obtenir des renseignements appropriés pour aider et être aidé.

Ce service est financé par le ministère de la Santé et des Services sociaux du Québec et il est offert gratuitement dans toutes les régions du Québec.

Montréal : **(514) 527-2626**
Autres régions : **1 800 265-2626**

→ Centre de santé et de services sociaux (CSSS)

En 2004, le gouvernement du Québec mettait en place un nouveau mode d'organisation des services de santé dans chacune des régions du Québec en créant 95 réseaux locaux de services à l'échelle du Québec. Au cœur de chacun de ces *Réseaux locaux de services* se trouve un nouvel établissement appelé *Centre de santé et de services sociaux* (CSSS) né de la fusion des *Centres locaux de services communautaires* (CLSC), des *Centres d'hébergement et de soins de longue durée* (CHSLD) et, dans la majorité des cas, d'un *Centre hospitalier*.

Pour l'ensemble des problèmes liés aux toxicomanies, les intervenants spécialisés du CSSS ou du CLSC (appellation encore utilisée dans plusieurs régions du Québec) de votre région pourront vous aider à évaluer une situation, vous offrir directement des services ou encore, vous référer à une ressource spécialisée.

Les coordonnées du CSSS de votre région peuvent être obtenues en appelant : ***Drogue : aide et référence***. Une liste de tous les CSSS pour l'ensemble du Québec est également disponible à : **www.msss.gouv.qc.ca**.

Les intoxications aiguës (surdoses), les délires psychotiques, les tentatives de suicide doivent être d'abord traités par un médecin à l'Urgence d'un centre hospitalier

LES RESSOURCES SPÉCIALISÉES EN TOXICOMANIE

→ Les centres hospitaliers spécialisés

Les intoxications* aiguës (surdoses*), les délires psychotiques, les tentatives de suicide doivent être d'abord traités par un médecin à l'Urgence d'un centre hospitalier qui, après avoir donné les soins requis, recommandera la personne au service le plus approprié.

Certains hôpitaux ont des lits réservés pour la désintoxication*. Par exemple, le pavillon St-Luc du *Centre hospitalier de l'Université de Montréal* (CHUM) dispose d'une unité de 19 lits en désintoxication, accessible à l'ensemble de la population du Québec.

→ Les centres de réadaptation publics

Il existe au Québec un réseau public de centres de traitement. Ce sont les *Centres de réadaptation pour les personnes alcooliques et les autres toxicomanes*. Les services sont gratuits, subventionnés par le ministère de la Santé et des Services sociaux. Ils offrent toute une gamme de services internes ou externes selon leurs ressources et les besoins de leur clientèle : accueil, évaluation, orientation, désintoxication, psychothérapie, intégration sociale, services à l'entourage, services à la communauté.

Les coordonnées du centre qui dessert votre région peuvent être obtenues en appelant : ***Drogue : aide et référence***. Le site Internet de la ***Fédération québécoise des centres de réadaptation pour personnes alcooliques et autres toxicomanes*** fournit une liste complète de ces établissements à www.fqcrpat.org. Cette liste est également disponible à www.toxquebec.com.

→ Les centres de traitement privés

Au Québec, il existe un grand nombre de centres de traitement privés qui offrent une gamme élargie de services. Ces services peuvent être dispensés à l'interne ou sur une base externe, à court ou à plus long terme, selon la philosophie et la structure qui leur est propre. Les centres privés exigent habituellement une contribution financière plus ou moins importante des personnes qui utilisent leurs services.

Depuis 2003, le ministère de la Santé et des Services sociaux a mis sur pied un programme de certification des organismes privés qui permet d'assurer la protection du public et garantit la qualité des services qui y sont offerts.

Les coordonnées des centres privés certifiés qui desservent le Québec peuvent être obtenues en appelant : ***Drogue : aide et référence***. Une liste complète de ces ressources peut être obtenue sur le site du ministère de la Santé et des Services sociaux à www.msss.gouv.qc.ca. Cette liste est également disponible à www.toxquebec.com.

→ Les groupes d'entraide

Les groupes d'entraide sont généralement connus du public en raison de leurs activités et de leur approche auprès des alcooliques et des toxicomanes. Ils se trouvent dans la plupart des régions du Québec et offrent de l'aide au téléphone et des rencontres hebdomadaires de groupe. Que ce soit Alcooliques Anonymes (AA), Narcotiques Anonymes (NA), Al-Anon pour les conjoints ou

Alateen pour les adolescents, leur objectif demeure le même : aider les personnes qui souffrent d'alcoolisme ou de toxicomanie* et leur entourage à trouver une solution à leurs difficultés.

Les coordonnées des groupes d'entraide peuvent être obtenues en appelant : ***Drogue : aide et référence.*** La liste de leurs réunions pour l'ensemble du Québec est également disponible à www.toxquebec.com.

La plupart des groupes d'entraide ont également des sites Internet où ils donnent le lieu et l'heure de leurs activités. L'adresse de ces sites internet se retrouve dans la section *Les sites Internet à connaître*.

→ Les organismes communautaires

Dans toutes les régions du Québec, il existe des organismes communautaires reconnus et financés en partie par les *Agences de santé et de services sociaux* et qui offrent des services externes gratuits en toxicomanie. Ces services sont facilement accessibles, sans formalité d'inscription et généralement sans liste d'attente. Ces organismes peuvent offrir des activités sociales, fournir des services de consultation individuelle, organiser des rencontres de groupe, etc.

Le nom et les coordonnées de ces organismes s'obtiennent en communiquant directement avec l'***Agence de santé et de services sociaux*** de votre région, en communiquant avec la ***Fédération des organismes communautaires et bénévoles d'aide et de soutien aux toxicomanes du Québec*** : www.cam.org/fobast ou en appelant : ***Drogue : aide et référence***.

DES SERVICES DISPONIBLES AU TÉLÉPHONE POUR TOUS 24 HEURES SUR 24, 7 JOURS SUR 7

→ **Drogue : aide et référence**
Montréal : **(514) 527-2626**
Autres régions : **1 800 265-2626**
www.drogue-aidereference.qc.ca

Drogue : aide et référence est un service téléphonique gratuit, confidentiel et disponible 24 heures par jour et 7 jours sur 7. Il permet de connaître les ressources disponibles dans votre région et d'obtenir des renseignements pertinents pour aider et être aidé.

→ **Tel-Jeunes**
Montréal : **(514) 288-2266**
Autres régions : **1 800 263-2266**
www.teljeunes.com

Le service *Tel-jeunes* est une ressource gratuite, confidentielle et accessible 24 heures par jour et 7 jours sur 7, pour tous les enfants et les jeunes du Québec. Au téléphone ou sur Internet, des professionnels travaillent à établir une relation de confiance avec les jeunes, répondre à leurs questions et les aider à résoudre leurs difficultés.

→ **La Ligne Parents**
Montréal : **(514) 288-5555**
Autres régions : **1 800 361-5085**
www.teljeunes.com

La ligne Parents est un service téléphonique destiné aux parents. Elle offre un support gratuit, confidentiel et accessible 24 heures sur 24 et 7 jours sur 7. Des intervenants professionnels aident les pères et les mères à améliorer la relation parents-enfants et à trouver par eux-mêmes les moyens d'agir en toute circonstance.

→ **Association québécoise de prévention du suicide**
Pour une urgence suicidaire partout au Québec
Montréal : **(514) 723-4000**
Autres régions : **1 866 277-3553**
www.aqps.info

Cette association répond aux urgences suicidaires partout au Québec. Elle offre un service d'urgence téléphonique sans frais, 24 heures sur 24 et 7 jours sur 7. Elle aborde la question du suicide et de sa prévention. Le site Internet permet d'obtenir de la documentation, de l'information sur la prévention du suicide, les ressources dans ce domaine et d'autres informations pertinentes.

→ **Centre antipoison du Québec**
1 800 463-5060
www.csssvc.qc.ca

Le *Centre antipoison du Québec* est constitué d'une équipe d'infirmières et de médecins spécialisés dans les situations urgentes d'empoisonnement et de surdoses. Il offre un service d'urgence téléphonique sans frais, 24 heures sur 24 et 7 jours sur 7, pour le public et les professionnels de la santé.

DES INFORMATIONS SUR LES PRINCIPAUX GROUPES D'ENTRAIDE ET LEURS RÉUNIONS

→ **Alcooliques Anonymes du Québec**
www.aa-quebec.org

→ **Cocaïnomanes Anonymes**
www.cocainomanes-anonymes.org

→ **Narcotiques Anonymes**
www.naquebec.org

→ **Al-Anon et Alateen**
www.al-anon-quebec-est.org
www.al-anon-alateen-qc.ca

LES SITES INTERNET À CONNAÎTRE

→ **Centre québécois de lutte aux dépendances (CQLD)**
www.cqld.ca

Le CQLD est l'éditeur du livre **Drogues : Savoir plus, Risquer moins.** C'est un organisme sans but lucratif. Il a pour mission de soutenir la lutte aux dépendances au Québec en fournissant de l'information juste et à jour sur les substances et les phénomènes reliés aux dépendances. Il participe également au développement et au transfert des connaissances dans ce domaine.

→ **Ministère de la Santé et des Services sociaux du Québec**
www.msss.gouv.qc.ca

Le Service des toxicomanies et des dépendances du ministère de la Santé et des Services sociaux du Québec est un secteur d'activités de la Direction générale des services à la population. Son mandat consiste à voir à l'élaboration et à l'application des orientations et des projets ministériels relatifs aux services en toxicomanie. Il prévoit les stratégies d'implantation et en suit l'évolution.

→ **Toxquebec.com**
www.toxquebec.com

Toxquebec.com est un des sites les plus importants au Québec dans le domaine des toxicomanies. Il reçoit un support financier du ministère de la Santé et des Services sociaux. Sa mission principale est de fournir aux individus et aux organismes qui s'intéressent aux dépendances, une source d'information de qualité qui soit facilement accessible.

→ **Agence mondiale antidopage**
www.wada-ama.org

→ **Centre canadien de lutte contre l'alcoolisme et les toxicomanies**
www.ccsa.ca/ccsa

→ **Centre québécois de documentation en toxicomanie (CQDT)**
www.centredollardcormier.qc.ca

→ **Conseil québécois sur le tabac et la santé**
www.cqts.qc.ca

→ **Éduc'alcool**
www.educalcool.qc.ca

→ **Fédération des organismes communautaires et bénévoles d'aide et de soutien aux toxicomanes du Québec**
www.cam.org/fobast

→ **Fédération québécoise des centres de réadaptation pour personnes alcooliques et autres toxicomanies**
www.fqcrpat.org

→ **Gendarmerie royale du Canada au Québec**
www.rcmp-grc.gc.ca

→ **Recherche et Intervention sur les Substances Psychoactives-Québec**
www.risq-cirasst.umontreal.ca

ANNEXE 1

LES LOIS

Les drogues illicites* sont fréquemment appelées stupéfiants* et font l'objet d'interdiction au regard des conventions internationales. En mai 1997, la *Loi sur les stupéfiants* ainsi que les parties III et IV de la *Loi sur les aliments et drogues* ont été abrogées et remplacées par la *Loi réglementant certaines drogues et autres substances.* Cette nouvelle loi comporte huit annexes dont les trois premières contiennent la majorité des drogues illicites (Tableau page 173).

La *Loi réglementant certaines drogues et autres substances* (www.lois.justice.ca) prévoit plusieurs infractions et peines, notamment la possession illégale, le trafic ou possession en vue de trafic, la production, l'importation et l'exportation. Le Code criminel comporte aussi des clauses reliées à la drogue. En effet, quiconque, sciemment, importe, exporte, fabrique, fait connaître ou vend des accessoires destinés à l'utilisation de drogues illicites (art. 462.2) ou recycle des produits de la criminalité (art. 462.31) commet une infraction et est assujetti à une peine.

S'il n'existe pas une loi proprement dite sur l'injonction thérapeutique, de nombreuses mesures législatives (ordonnance de la Cour, ordonnance de probation, conditions de libération conditionnelle, etc.) permettent d'inciter ou de contraindre les délinquants à suivre un traitement relié à leur consommation de drogues.

Les drogues licites* sont assujetties à la réglementation prévue par la loi. Dans cette législation, on retrouve principalement la *Loi sur les aliments et drogues*, la *Loi réglementant certaines drogues et autres substances* et la *Loi sur le tabac*.

Les médicaments* sont eux aussi régis par la *Loi sur les aliments et drogues* et la *Loi réglementant certaines drogues et autres substances*. La mise en marché doit être précédée d'une évaluation positive des résultats des essais cliniques, pharmacologiques et toxicologiques. Les normes de production, d'importation, d'exportation, d'obtention et de vente sont très strictes et passibles de sanctions lorsqu'on y déroge.

La prescription et la distribution des médicaments par les professionnels de la santé font aussi l'objet d'une réglementation stricte. Des critères précis (par exemple, l'évaluation clinique et diagnostique constante) régissent la délivrance ou le renouvellement des ordonnances médicales. Certains médicaments sont inclus dans les annexes IV et V de la *Loi réglementant certaines drogues et autres substances* à cause de leurs propriétés psychotropes*.

Loi réglementant certaines drogues et autres substances

ANNEXE I	ANNEXE II
Cocaïne ; Méthamphétamine ; Opiacés* : héroïne, codéine, morphine, méthadone, opium, etc. ; Kétamine ; PCP.	Marijuana : plus de 30 g ; Haschich : plus de 1 g ; Tétrahydrocannabinol (THC) ; Cannabidiol (CBD) ; Nabilone.
ANNEXE III	**ANNEXE IV**
Amphétamines (leurs sels, dérivés, isomères et analogues, ainsi que leurs sels dérivés, isomères et analogues) ; GHB ; Flunitrazépam (Rohypnol®) ; LSD ; Mescaline ; Psilocybine.	Benzodiazépines* ; Barbituriques ; Androgènes ; Stéroïdes anabolisants.
ANNEXE V	**ANNEXE VI**
Propylhexédrine.	Gamma-butyrolactone ; Éphédrine ; Pseudo éphédrine ; Ergotamine ; Acide lysergique.
ANNEXE VII	**ANNEXE VIII**
Marijuana : jusqu'à 3 kg ; Haschich : jusqu'à 3 kg.	Marijuana : jusqu'à 1 g ; Haschich : jusqu'à 30 g.

N.B. Seuls sont répertoriés les principaux produits inclus dans chacune des annexes de cette loi. Les substances ne faisant pas l'objet d'une revue dans ce livre ne sont pas mentionnées dans le tableau.

ANNEXE 2

ÉVALUER SON ALCOOLÉMIE

Ces tableaux sont fournis à titre indicatif seulement. On doit les interpréter avec prudence, car chaque personne réagit différemment selon sa corpulence, son état de santé et les circonstances particulières de la consommation. Si on boit sans manger, l'alcool passe beaucoup plus rapidement dans le sang et ses effets sont plus importants. Il est donc préférable de manger lorsqu'on consomme des boissons alcoolisées.

Taux d'alcoolémie selon le nombre de consommations standard (mg %)*

FEMMES

Poids	Nombre de consommations				
	1	2	3	4	5
100 lbs ou 45 kg	50	101	152	203	253
125 lbs ou 57 kg	40	80	120	162	202
150 lbs ou 68 kg	34	68	101	135	169
175 lbs ou 80 kg	29	58	87	117	146
200 lbs ou 91 kg	26	50	76	101	126

* Se référer à la page 39 pour les équivalences d'une consommation standard

HOMMES

Poids	Nombre de consommations				
	1	2	3	4	5
125 lbs ou 57 kg	34	69	103	139	173
150 lbs ou 68 kg	29	58	87	116	145
175 lbs ou 80 kg	25	50	75	100	125
200 lbs ou 91 kg	22	43	65	87	108
250 lbs ou 113 kg	17	35	52	70	87

* Établis selon les tables de Widmark

Un exemple

Une femme de 68 kg (150 livres) passe la soirée chez des amis. À 19 h, elle boit une bière de 341 ml à 5 % d'alcool, puis trois verres de vin de 5 onces chacun à 12 % d'alcool et finalement un cognac de 1,5 once à 40 % d'alcool, comme dernière consommation terminée à 22 h. Elle ne mange pas. L'alcool se transforme et s'élimine par le foie à raison d'environ 15 mg/100 ml d'alcool par heure.

À 23 h, quel serait son taux d'alcoolémie ?

Réponse : 109 mg %.

Comment se fait le calcul ?

5 consommations = taux d'alcoolémie de 169 mg % sans tenir compte de l'élimination (voir tableau)

4 heures x 15 mg % = 60 mg % d'élimination

169 mg % – 60 mg % = 109 mg % restant

Risque relatif de causer un accident automobile à mesure que le taux d'alcool augmente dans le sang :

50 mg % :	1,5 fois plus élevé qu'un conducteur sobre
60 mg % :	2 fois plus élevé qu'un conducteur sobre
80 mg % :	3,5 fois plus élevé qu'un conducteur sobre
100 mg % :	6 fois plus élevé qu'un conducteur sobre
120 mg % :	12 fois plus élevé qu'un conducteur sobre
140 mg % :	20 fois plus élevé qu'un conducteur sobre
160 mg % :	35 fois plus élevé qu'un conducteur sobre

ANNEXE 3

INTOXICATION AIGUË À L'ALCOOL

Comment reconnaître une intoxication ?

Le surdosage* à l'alcool est un phénomène relativement courant, particulièrement lorsqu'une personne ingère de grandes quantités d'alcool dans un court laps de temps.

Une intoxication* aiguë à l'alcool peut causer la mort en moins d'une heure, d'où l'importance de suivre de près l'évolution des signes chez une personne qui semble avoir absorbé une grande quantité d'alcool en peu de temps.

Bien que les signes d'intoxication à l'alcool soient proportionnels à l'alcoolémie, tous les individus ne réagissent pas de la même manière à un niveau déterminé d'alcool. Plusieurs facteurs peuvent être déterminants, entre autres le poids, le sexe, la tolérance*, la nourriture ingérée, qui peut ralentir l'absorption de l'alcool dans le sang, et le contexte de consommation. Il faut donc être vigilant aux effets suivants pour identifier une intoxication sévère et réagir à temps.

a Le nombre de consommations est à titre indicatif seulement. Plusieurs facteurs ont une influence sur les effets de l'alcool dans l'organisme (sensibilité individuelle, tolérance*, condition physique, interaction avec d'autres substances, etc.).

b Se référer aux tableaux de l'annexe 2 pour évaluer le taux d'alcoolémie de chacun en fonction des quantités d'alcool consommées, du sexe et du poids de la personne.

Exemples de consommations et alcoolémie	Effets	Que faire selon le niveau d'intoxication d'une personne?
Femme de 125 lbs ou 57 kg 5-8 consommations[a] **Homme de 175 lbs ou 80 kg** 8-12 consommations[a] 200 à 300 mg/100 ml (200 à 300 mg %)[b]	• Élocution bredouillante • Langage incohérent • Confusion mentale • Désorientation • Dépression sensorielle marquée • Altération de la perception, des couleurs, des formes, des mouvements et des dimensions • Analgésie (diminution de la sensation de douleur) • Apathie • Somnolence • Sautes d'humeur • Épisodes de voile noir (*black-outs)* • Nausées, vomissements • Incoordination marquée des mouvements	• Éviter de la laisser seule • Communiquer avec elle pour connaître la dose d'alcool ingérée dans les dernières heures • Si cette dose est importante ou si les effets s'aggravent rapidement, ne pas prendre de risque et contacter le 911 sans attendre afin de secourir la personne le plus rapidement possible
Femme de 125 lbs ou 57 kg 8-10 consommations[a] **Homme de 175 lbs ou 80 kg** 12-16 consommations[a] 300 à 400 mg/100 ml (300-400 mg %)[b]	• Sommeil profond et stupeur • Diminution importante de la réponse aux stimuli • Incoordination très marquée des mouvements • Transpiration excessive (peau moite) • Hypothermie (baisse de la température) • Incontinence urinaire • Possibilité d'aspiration des vomissements et risque de décès	• Éviter de la laisser seule • S'assurer que la personne est placée dans un lieu et dans des conditions sécuritaires • Communiquer régulièrement avec elle pour évaluer son état de conscience • Si elle est consciente, demander la dose d'alcool ingérée dans les dernières heures • Si cette dose est importante ou si les effets s'aggravent de minute en minute, appeler les urgences médicales ou le 911 afin de secourir la personne le plus rapidement possible • Dans l'attente d'une intervention médicale, placer sa tête légèrement vers l'arrière afin de dégager les voies respiratoires • Placer dans une position latérale de sécurité qui permet une ventilation adéquate
Femme de 125 lbs ou 57 kg Plus de 10 consommations[a] **Homme de 175 lbs ou 80 kg** Plus de 16 consommations[a] Plus de 400 mg/100 ml (plus de 400 mg %)[b]	• Anesthésie • Inconscience • Absence de réflexes • Perte de contrôle des sphincters • Dépression respiratoire marquée • Coma • Mort par arrêt respiratoire	

ANNEXE 4

EFFETS DE L'ALCOOL OU DES DROGUES SUR LA CONDUITE D'UN VÉHICULE MOTEUR

La conduite d'un véhicule moteur est une opération relativement complexe qui exige l'exécution coordonnée de plusieurs gestes. Elle fait intervenir notamment la perception (avoir une bonne acuité visuelle et auditive), l'attention (réagir rapidement et correctement à des situations variées et imprévisibles), la concentration (être capable de se concentrer sur une tâche particulière pendant une période de temps plus ou moins longue), la mémoire (se souvenir de faits antérieurs), l'anticipation (prévoir les événements), le jugement (assimiler et traiter promptement l'information provenant de diverses sources ; prendre les bonnes décisions au moment opportun) et la coordination des mouvements (freiner, diriger le volant pour éviter des collisions et accomplir de bonnes manœuvres de conduite).

Effets de l'alcool sur la conduite d'un véhicule moteur

L'affaiblissement des capacités de conduire résulte principalement des actions de l'alcool sur le cerveau. Ces effets dépendent essentiellement des facteurs suivants :

- l'alcoolémie : il existe une relation dose-effet entre la concentration d'alcool dans le sang et les effets qui en résultent (voir annexes 2 et 3)
- les différences entre les individus : chaque personne possède un bagage génétique qui détermine en partie sa sensibilité à l'alcool ainsi que sa vitesse d'élimination

- → les habitudes de consommation : chez un même individu, la consommation répétée d'alcool conduit au phénomène de tolérance* acquise
- → la condition physique de la personne : le jeûne, la mauvaise alimentation, une santé déficiente et un état de fatigue important accentuent l'intoxication* par l'alcool
- → la phase de cheminement de l'alcool dans l'organisme : pour une même alcoolémie, les effets de l'alcool sur le cerveau sont plus marqués en phase d'absorption qu'en phase d'élimination
- → les interactions pharmacologiques : l'alcool est parfois consommé en même temps que d'autres médicaments* ou drogues, et les associations peuvent donner lieu à des interactions qui entraînent une synergie ou un antagonisme des effets
- → le contexte psychosocial de l'épisode de consommation : les attentes qu'un individu entretient face aux effets de l'alcool et les conditions environnementales dans lesquelles ce psychotrope* est pris peuvent avoir une influence déterminante sur la perception subjective et le comportement

Effets des drogues sur la conduite d'un véhicule moteur

Depuis les années 1970, plusieurs recherches ont été effectuées afin de connaître les effets des drogues, autres que l'alcool, sur la conduite automobile et le risque d'accident mortel qu'elles représentent. La Société de l'assurance automobile du Québec a réalisé une étude épidémiologique entre 1999 et 2002 dont voici les principaux résultats :

- → La présence de drogues a été retrouvée chez près de 12 % des conducteurs interceptés au hasard sur la route, selon les échantillons d'urine recueillis lors de l'étude
- → La présence de drogues a été retrouvée chez près de 33 % des conducteurs décédés selon les résultats sur des échantillons d'urine. La proportion est de 25 % si on examine les résultats sur le sang, liquide biologique qui indique davantage une consommation récente
- → Les deux principales drogues retrouvées chez les conducteurs décédés sont le cannabis (13 %) et les benzodiazépines* (près de 10 %) (échantillons sanguins)
- → Le risque d'être impliqué dans un accident routier mortel, après avoir consommé du cannabis, de la cocaïne ou des benzodiazépines* est de 2 à 5 fois plus élevé que pour les conducteurs sobres
- → Les mélanges (alcool/drogue ou plusieurs drogues) augmentent substantiellement le risque d'accident mortel de la route

MISE EN GARDE

Certains médicaments*, qu'ils soient prescrits par votre médecin ou achetés en vente libre, peuvent altérer votre capacité à conduire en provoquant des troubles de la vision, de l'attention, de la vigilance, du comportement ou une perturbation de l'équilibre.

Il est donc important de consulter les professionnels de la santé (médecins, pharmaciens) afin de connaître les effets de ces médicaments sur la conduite d'un véhicule moteur et de toujours lire attentivement les indications sur les contenants des médicaments, qu'ils soient prescrits par le médecin ou en vente libre.

D'autre part, qu'il s'agisse de dépresseurs, de stimulants ou de perturbateurs du système nerveux central, ils peuvent tous affecter les capacités de conduite d'un véhicule moteur.

ANNEXE 5

LISTE DES SUBSTANCES ET DES MÉTHODES INTERDITES SELON LE CODE MONDIAL ANTIDOPAGE

Cette liste est élaborée et mise régulièrement à jour par l'Agence mondiale antidopage.

Substances interdites

→ Androgènes et stéroïdes anabolisants

→ Autres agents anabolisants, incluant sans s'y limiter : clenbutérol, tibolone, zéranol, zilpatérol

→ Stimulants

→ Agonistes bêta-2

→ Hormones et substances apparentées :
- Érythropoïétine (EPO)
- Hormone de croissance (hGH), facteurs de croissance analogues à l'insuline (ex. : IGF-1), facteurs de croissance mécaniques (MGFs)
- Gonadotrophines (LH,hCG), interdites chez le sportif de sexe masculin seulement
- Insuline
- Corticotrophines

→ Agents avec activité anti-œstrogène :
- Inhibiteurs d'aromatase, incluant sans s'y limiter : aminoglutéthimide, anastrozole, exémestane, formestane, létrozole, testolactone
- Modulateurs sélectifs des récepteurs* aux œstrogènes, incluant sans s'y limiter : raloxifène, tamoxifène, torémifène

- Autres substances anti-oestrogéniques, incluant sans s'y limiter : clomifène, cyclofénil, fulvestrant

→ Glucocorticoïdes

→ Cannabinoïdes

→ Narcotiques*

→ Diurétiques et autres agents masquants

Méthodes interdites

→ Amélioration du transfert d'oxygène (ex. : administration de produits sanguins)

→ Manipulation chimique ou physique : falsification des échantillons d'urine ou de sang recueillis lors de contrôles de dopage* (ex. : utilisation d'agents masquants, substitution des échantillons ; perfusions intraveineuses)

→ Dopage génétique : utilisation de cellules génétiquement modifiées, de gènes ou d'éléments génétiques divers qui ont la capacité d'améliorer la performance sportive

ANNEXE 6

La dose totale consommée par les athlètes peut excéder de 2 à 200 fois la dose thérapeutique

EFFETS RECHERCHÉS PAR LES ATHLÈTES LORS DE LA PRISE DES PRODUITS ANABOLISANTS

L'usage abusif et illégal des agents anabolisants par les sportifs repose sur la croyance que leur consommation améliore la performance athlétique. Bien que certaines opinions scientifiques réfutent cette allégation, les stéroïdes anabolisants peuvent, dans certaines conditions, produire les effets suivants :

- → une augmentation de la masse musculaire et du poids
- → une augmentation de la force musculaire
- → une augmentation de l'agressivité et de la motivation durant l'entraînement et la compétition
- → une augmentation de l'endurance physique par l'aptitude à résister à la fatigue
- → une récupération plus rapide après une blessure, l'exercice ou des périodes d'entraînements intensifs

LEXIQUE

ABUS
Usage injustifié ou excessif de quelque chose. La notion d'abus d'un psychotrope varie d'une société à une autre. Elle dépend grandement, entre autres, de divers aspects culturels, religieux, éthiques, légaux et médicaux.

ADJUVANT
Produit que l'on ajoute à un autre pour en améliorer les caractéristiques. Traitement d'importance secondaire, ajouté à un traitement principal pour renforcer son action ou diminuer ses effets indésirables.

ANALGÉSIQUE
Qui atténue ou supprime la sensibilité à la douleur.

ANESTHÉSIQUE
Se dit des substances qui provoquent l'anesthésie, une privation générale ou partielle de la sensibilité, en particulier de la sensibilité à la douleur.

ANOREXIGÈNE
Qui supprime la sensation de faim. Substance qui réduit l'appétit.

ANXIOLYTIQUE
Qui diminue ou supprime l'état d'anxiété.

BAD TRIP **(Mauvais voyage)**
Épisode particulièrement désagréable pouvant survenir lors de la prise de certaines substances. Il peut se caractériser par un état de malaise général, l'anxiété, l'instabilité de l'humeur, la panique et un état paranoïde.

BENZODIAZÉPINES
Classe de tranquillisants mineurs principalement utilisés comme anxiolytiques, sédatifs et hypnotiques. Quatorze benzodiazépines sont commercialisées au Canada.

CIRCUITS DE RÉCOMPENSE

Centres localisés dans plusieurs régions du cerveau et participant à la modulation du plaisir. L'existence de ces centres, démontre que la sensation de bien-être associée à la satisfaction des besoins a des racines neurologiques.

DÉLIRE PARANOÏDE

Crise pendant laquelle un individu est en proie à des délires qui s'apparentent à la paranoïa.

DÉPENDANCE

Ensemble des phénomènes physiques et psychologiques qui rendent, après un certain temps d'utilisation variable, certains médicaments ou drogues indispensables à l'équilibre physiologique du consommateur.

DÉPENDANCE PHYSIQUE

État résultant de l'usage répété et excessif d'un médicament ou drogue au cours duquel l'organisme s'est adapté, c'est-à-dire est devenu dépendant, à la présence continue du médicament ou drogue à une certaine concentration.

DÉPENDANCE PSYCHOLOGIQUE OU PSYCHIQUE

État dans lequel l'arrêt ou la diminution brutale de la dose d'un médicament ou drogue produit des symptômes psychologiques caractérisés par une préoccupation émotionnelle et mentale reliée aux effets du médicament ou de la drogue et par un besoin intense et persistant à reprendre le médicament ou la drogue.

DÉSINTOXICATION

Processus de traitement utilisé pour éliminer une substance psychoactive chez un individu dépendant, soit par le retrait graduel du produit, soit par le traitement pharmacologique de substitution spécifique pour minimiser et contrôler les signes de sevrage afin d'éviter les risques de complications associées pouvant apparaître à l'arrêt brusque du produit.

DÉSIR OBSÉDANT (en anglais, *craving*)
Obsession contraignante qui envahit et dérange les pensées du consommateur, affecte son humeur et altère son comportement. Cette obsession a aussi été décrite comme un désir urgent et accablant ou une impulsion irrésistible à prendre le médicament ou la drogue.

DOPAGE
(syn. : conduite dopante)
Utilisation de substances ou de méthodes interdites destinées à augmenter les capacités physiques ou mentales d'un sportif ou à masquer l'emploi de ces substances ou de ces méthodes lors de la préparation ou de la participation à une compétition sportive.

DOPAMINE
Neuromédiateur impliqué, entre autres, dans les mécanismes de perception du plaisir, de la motricité et de l'agressivité.

EUPHORIE
Sensation de bien-être et de satisfaction.

EUPHORISANT
Qui provoque l'euphorie.

FUMÉE SECONDAIRE
(syn. : fumée passive)
Fumée résultant d'une inhalation passive (ex. : tabac inhalé par un non-fumeur situé à proximité du fumeur). Elle est composée de fumée de tabac expirée, et surtout, de fumée produite par le bout incandescent de la cigarette.

HENNÉ
Extrait d'une plante cultivée surtout en Afrique du Nord et au Moyen-Orient servant à teindre les cheveux, la paume des mains et la plante des pieds.

HYPNOTIQUE
Qui provoque le sommeil. Substance facilitant l'instauration et le maintien du sommeil.

ILLICITE
Interdit par la loi.

INTOXICATION
Perturbations qu'exerce une substance toxique sur l'organisme et ensemble des troubles qui en résultent.

JOINT
Cigarette contenant du cannabis, principalement de la marijuana ou du haschich.

LÉTHARGIE
État de torpeur et de nonchalance extrême, pouvant parfois être accompagné d'un sommeil profond et prolongé.

LICITE
Permis par la loi.

MALADIE AFFECTIVE BIPOLAIRE
Terme médical actuellement employé pour décrire la psychose maniaco-dépressive. Celle-ci se traduit par des accès de surexcitation (manie) alternant avec des périodes de mélancolie (dépression).

MANQUE
Terme employé pour décrire habituellement la sensation qu'entraîne la privation d'une substance psychoactive. Le manque est un mot de la langue commune désignant le syndrome de sevrage, encore appelé syndrome d'abstinence, de privation ou de retrait.

MÉDICAMENT
Substance ou mélange de substances fabriqué, vendu ou présenté comme pouvant servir au diagnostic, au traitement, à l'atténuation ou à la prévention d'une maladie, ou destiné à restaurer, corriger ou modifier des fonctions organiques chez l'être humain ou chez l'animal.

NARCOTIQUE
Substance provoquant la narcose, c'est-à-dire un état de torpeur ou un sommeil artificiel. Au sens juridique, le terme désigne aussi divers psychotropes pouvant causer la dépendance.

NEUROMÉDIATEURS OU NEUROTRANSMETTEURS OU MÉDIATEURS CHIMIQUES
Substances chimiques qui assurent la continuité de l'influx nerveux au travers des synapses. Les principaux neuromédiateurs sont la dopamine, la sérotonine, l'acétylcholine, l'adrénaline, la noradrénaline, l'acide gamma-aminobutyrique (GABA), le glutamate, l'adénosine, les endorphines, les enképhalines et les endocannabinoïdes.

OPIACÉ
Toute substance contenant de l'opium ou exerçant une action comparable à celle de l'opium.

OVERDOSE
Voir surdosage.

PARTY RAVE
Soirée de rassemblement festif agrémentée de musique techno au cours de laquelle certaines personnes *(ravers)* dansent et consomment des psychotropes.

PATCH
Voir timbre transdermique.

POLYCONSOMMATION
Consommation simultanée de plusieurs substances (ex. : psychotropes).

POSOLOGIE
Ensemble des indications sur les modalités de prise d'un médicament (doses, fréquence, etc.).

POTENTIALISATION
Interaction entre deux substances se traduisant par le fait que l'effet total dû à leur association est supérieur à la somme des effets de chaque substance prise séparément. Ce phénomène est aussi appelé synergie renforçatrice.

PRISE
Quantité de substance consommée en une seule fois.

PSYCHOSE MANIACO-DÉPRESSIVE
Voir maladie affective bipolaire.

PSYCHOTROPE
Substance qui agit sur le psychisme d'un individu en modifiant son fonctionnement mental. Elle peut entraîner des changements dans les perceptions, l'humeur, la conscience, le comportement et diverses fonctions physiques et psychologiques.

RÉCEPTEUR
Macromolécule à laquelle se lie un médicament ou un médiateur chimique. La liaison au récepteur conduit à une chaîne de réactions qui aboutissent ultimement à l'effet pharmacologique.

RÉDUCTION DES MÉFAITS
(en anglais, *harm reduction*)
Démarche de santé publique visant à traiter des questions liées aux drogues et mettant principalement l'accent sur la réduction des conséquences négatives de la consommation de drogues sur le plan sanitaire, social et économique plutôt que sur l'élimination de l'usage des drogues.

RUSH
Sensation orgasmique éprouvée au moment de l'injection de drogues telles que l'héroïne, la cocaïne ou les amphétamines.

SCHIZOPHRÉNIE
Maladie caractérisée par des troubles de la perception et de la pensée, une modification de l'humeur, un comportement bizarre et une perturbation de l'activité motrice. Elle se manifeste par divers symptômes dits positifs et négatifs.

SÉDATIF (syn. : calmant)
Produit destiné à calmer et à apaiser un état d'agitation ou de nervosité.

SEVRAGE
(syn. : abstinence, manque, privation, retrait)
Conséquence de l'arrêt de la prise d'une substance de manière brutale ou progressive. De façon plus extensive et moins spécifique, c'est l'ensemble des mesures thérapeutiques destinées à aider une personne à mettre un terme à la consommation de substances psychoactives dont elle est devenue dépendante.

STUPÉFIANT
Toute substance dont l'action sédative, analgésique, narcotique ou euphorisante entraîne à la longue la tolérance et la dépendance.

SUBSTANCE PSYCHOACTIVE
Voir psychotrope.

SUBSTITUTION, traitement de
Un traitement de substitution consiste à administrer une substance ayant des effets comparables à la substance dont le sujet est dépendant, mais qui présente un profil pharmacologique plus avantageux.

SURDOSAGE
(syn. : surdose ; en anglais *overdose*)
Présence dans l'organisme d'une quantité excessive de médicament ou drogue qui menace l'intégrité physique de l'individu.

SURDOSE
Voir surdosage.

SYMPTÔMES
Ensemble des manifestations ressenties par une personne souffrant d'une maladie ou réagissant à la prise ou au retrait d'un médicament ou d'une drogue.

SYNAPSE
Zone de communication entre deux neurones ou entre un neurone et une autre cellule.

TESTOSTÉRONE
Hormone mâle sécrétée par les testicules qui stimule le développement des organes génitaux mâles et détermine l'apparition des caractères sexuels mâles secondaires.

TÉTANIE
État d'hyperexcitabilité neuromusculaire anormalement élevée se traduisant par des contractures et des spasmes musculaires.

TIMBRE TRANSDERMIQUE
Timbre autocollant que l'on applique sur la peau et libérant un médicament qui diffuse à travers celle-ci.

TOLÉRANCE
État d'hyposensibilité de l'organisme se traduisant par une diminution de la réponse du médicament ou drogue et par la capacité de supporter, sans manifester de symptômes d'intoxication des doses élevées qui habituellement seraient toxiques pour le néophyte. Elle se manifeste donc par une diminution de l'efficacité et de la toxicité du médicament ou drogue.

TOXICITÉ
Propriété d'une substance à causer des effets nuisibles d'intensité variable pouvant aller d'une simple perturbation des fonctions normales (ex. : atteinte de la motricité) jusqu'à la mort. On distingue la toxicité aiguë et la toxicité chronique. La toxicité aiguë résulte de l'action ponctuelle d'une substance alors que la toxicité chronique est une des conséquences de l'administration régulière de cette substance.

TOXICOLOGIE
Étude des poisons, leurs identifications et leurs effets. Étant donné que tous les médicaments ou drogues à une certaine dose peuvent être des poisons, la toxicologie réfère également à l'étude de la toxicité des médicaments.

TOXICOMANIE
État d'intoxication résultant de la prise répétée d'une ou plusieurs substances qui a abouti à un état de dépendance physique ou psychologique vis-à-vis des substances consommées.

TRIP
Sensations ressenties lors de la prise d'une substance (ex. : sensation d'extase ressentie lors d'un « voyage » au LSD).

TROUBLE PARANOÏDE
Trouble mental caractérisé par des jugements erronés guidés moins par la logique que par l'orgueil, la méfiance, la psychorigidité, la susceptibilité exagérée et l'inadaptation sociale. Sur ce fond apparaissent parfois des délires de persécution, de revendication, de mysticisme et de jalousie qui peuvent conduire à l'agressivité.

USAGE RÉCRÉATIF
Usage d'une substance seulement lorsqu'il est socialement acceptable de le faire et qu'elle est facilement disponible. La personne ne recherche pas et ne crée pas des situations propices à la consommation.

VASODILATATEUR
Qui dilate un vaisseau sanguin, augmentant de ce fait son calibre par relâchement de ses fibres musculaires.

BIBLIOGRAPHIE

Agence Mondiale Antidopage (2006). Code mondial antidopage. Liste des interdictions 2006. Standard international. Montréal, Agence Mondiale Antidopage.

Association des pharmaciens du Canada (2006). Compendium des produits et spécialités pharmaceutiques. Ottawa, Association des pharmaciens du Canada.

Association psychiatrique américaine (2003). DSM-IV-TR. Manuel diagnostique et statistique des troubles mentaux. Texte révisé. Paris, Masson.

Bello, P.-Y. et al. (2006). Drogues et dépendance. Le livre d'information. Paris, Institut national de prévention et d'éducation pour la santé (INPES).

Ben Amar, M. (2006). "Cannabinoids in medicine. A review of their therapeutic potential". Journal of Ethnopharmacology, volume 105 (1-2): pages 1-25.

Ben Amar, M. (2004). Cannabis, www.drogues-sante-societe.org.

Ben Amar, M. (2004). La polyconsommation de psychotropes et les principales interactions pharmacologiques associées. Montréal, Comité permanent de lutte à la toxicomanie.

Ben Amar, M., et Légaré N., (2006). Le tabac à l'aube du 21e siècle : Mise à jour des connaissances. Montréal, Centre québécois de lutte aux dépendances.

Ben Amar, M., Masson, R., et Roy, S. (1992). L'alcool: aspects scientifiques et juridiques. Montréal, Les Éditions B.M.R.

Benowitz, N. L. (2003). "Cigarette smoking and cardiovascular disease: Pathophysiology and implications for treatment". Progress in Cardiovascular Diseases, volume 46: pages 91-111.

Bouchard, J. et Brault, M. (2004). Le lien entre le dossier de conduite et la présence d'alcool et/ou de drogues chez les conducteurs décédés.

Brands, B., Sproule, B., et Marshman, J. (1998). Drugs and drug abuse. Toronto, Addiction Research Foundation.

Brault, M., Dussault, C., Bouchard, J., et al. (2004). Le rôle de l'alcool et des autres drogues dans les accidents mortels de la route au Québec. Résultats finaux. 17e Conférence internationale sur l'alcool, les drogues et la sécurité routière, Glasgow, Écosse.

Brisson, P., et Morissette, C., (2003). Réduction des risques et des méfaits, www.drogues-sante-societe.org.

British Medical Association (2004). Smoking and reproductive life. The impact of smoking on sexual, reproductive and child health. Londres, British Medical Association.

Brunton, L. L., Lazo, J.S., et Parker, K.L. (2006). Goodman & Gilman's. The pharmacological basis of therapeutics. 11e édition. New York, McGraw-Hill.

Couper, F. J., et Logan, B.K. (2004). Drugs and human performance fact sheets. U.S. Department of Transportation. National Highway Traffic Safety Administration.

Craig, K., Gomez, H. F., McManus, J. L., et al. (2000). "Severe gamma-hydroxybutyrate withdrawal: a case report and literature review". The Journal of Emergency Medicine, volume 18: pages 65-70.

De Mondenard, J. P. (2006). Dopage : d'aussi loin que l'on se souvienne ! Paris, Volodalen.

Doll, R., Peto, R., Boreham, J. et al. (2004). "Mortality in relation to smoking: 50 years' observation on male British doctors". British Medical Association, volume 328: pages 1519-1533.

Dubin, C. L. (1990). Commission d'enquête sur le recours aux drogues et aux pratiques interdites pour améliorer la performance athlétique. Ottawa, Gouvernement du Canada.

Dubois, A., et Schneider, P. (2006). Code criminel et lois connexes annotés. Brossard, Publications CCH ltée.

First, M. B., et Tasman, A. (2004). DSM-IV-TR™ Mental disorders. Diagnosis, etiology & treatment. Chichester, John Wiley & Sons.

Frances, R. J., Miller, S. I., et Mack, A. H. (2005). Clinical textbook of addictive disorders. 3e edition. New York, The Guilford Press.

Institut national de la santé et de la recherche médicale (2001). Cannabis. Quels effets sur le comportement et la santé ? Paris, Éditions Inserm.

Iversen, L. I. (2000). The science of marihuana. Oxford, Oxford University Press.

Joy, J. E., Watson, Jr., S.J., et Benson, Jr., J.A., Institute of Medicine (1999). Marijuana and medicine. Assessing the science base. Washington, D.C., National Academy Press.

Justice Canada (2001). Règlement sur l'accès à la marihuana à des fins médicales. Ottawa, Justice Canada.

Justice Canada (1997). *Loi réglementant certaines drogues et autres substances*. Ottawa, Justice Canada.

Kalant, H., Corrigal, W. A., Hall, W., et Smart, R. G. (1999). The health effects of cannabis. Toronto, Centre for Addiction and Mental Health.

Karch, S. B. (2002). Karch's Pathology of Drug Abuse. 3e édition. Boca Raton, CRC Press.

Katzung, B. G. (2004). Basic & clinical pharmacology. 9e édition. New York, Lange Medical Books / McGraw-Hill.

Lagrue, G., Le Foll, B., Melihan-Cheinin, P., et al. (2004). « Recommandation de bonne pratique : les stratégies thérapeutiques médicamenteuses et non médicamenteuses de l'aide à l'arrêt du tabac ». Gynécologie Obstétrique et Fertilité, volume 32: pages 451-470.

Le Houezec, J., et Säwe, U. (2003). « Réduction de consommation tabagique et abstinence temporaire : de nouvelles approches pour l'arrêt du tabac ». Journal des Maladies Vasculaires, volume 28: pages 293-300.

LeFoll, B., Melihan-Cheinin, P., Rostoker, G., et al. (2005). "Smoking cessation guidelines: evidence based recommendations of the French Health Products Safety Agency". European Psychiatry, volume 20: pages 431-441.

Léonard, L., et Ben Amar, M. (2002). Les psychotropes: pharmacologie et toxicomanie. Montréal, Les Presses de l'Université de Montréal.

Léonard, L., et Ben Amar, M. Sous la direction de P. Brisson. (2000). Classification, caractéristiques et effets généraux des substances psychotropes. Dans: l'usage des drogues et la toxicomanie. Volume III. Montréal, Gaétan Morin.

Levitz, J. S., Bradley, T.P., et Golden, A. (2004). "Overview of smoking and all cancers". Medical Clinics of North America, volume 88: pages 1655-1675.

Lowinson, J. H., Ruiz, P., Millman, R.B., et Langrod, J.G. (2005). Substance abuse. A comprehensive textbook. 4e édition. Philadelphie, Lippincott Williams & Wilkins.

McKim, W. A. (2006). Drugs and Behavior. An introduction to behavioral pharmacology. 6e édition. Upper Saddle River, Prentice Hall.

Ministry of Public Health of Belgium (2002). Cannabis 2002 report. A joint international effort at the initiative of the ministers of public health of Belgium, France, Germany, the Netherlands, Switzerland. Technical report of the International scientific conference. Brussels, Ministry of Public Health of Belgium.

Nolin, P. C., Kenny, C., et al. (2002). Le cannabis : positions pour un régime de politique publique pour le Canada. Rapport du Comité spécial du Sénat sur les drogues illicites. Ottawa, Sénat du Canada. Site web: www.parl.gc.ca/drogues-illicites.asp.

Ogden, E. J. D., et Moskowitz, H., (2004). "Effects of alcohol and other drugs on driver performance". Traffic Injury Prevention, volume 5: pages 185-198.

Organisation mondiale de la Santé (2004). Neurosciences: usage de substances psychoactives et dépendance. Genève, Organisation mondiale de la Santé.

Ramaeckers, J. G., Berghaus, G., van Laar, M., et al. (2004). "Dose related risk of motor vehicle crashes after cannabis use". Drug and Alcohol Dependence, volume 73: pages 109-119.

Reynaud, M., Parquet, P. J., et Lagrue, G. (1999). Les pratiques addictives : usage, usage nocif et dépendance. Paris, Direction générale de la santé.

Richard, D., Senon, J. L., et Valleur, M. (2004). Dictionnaire des drogues et des dépendances. 2e édition. Paris, Larousse.

Roques, B. (1999). La dangerosité des drogues. Paris, Odile Jacob.

Rouillard, C. (2003). Ecstasy et drogues de synthèse. Le point sur la question. Montréal, Comité permanent de lutte à la toxicomanie.

Rouillard, C., Ben Amar, M., Germain, M., Paré, R., et Rouillard, P. (2006). Le cristal meth. Ce qu'il faut savoir. Montréal, Centre québécois de lutte aux dépendances et Gendarmerie royale du Canada.

Sadock, B. J., Sadock, V. A. (2003). Kaplan & Sadock's synopsis of psychiatry. Behavioral sciences/clinical psychiatry. 9e édition. Philadelphie, Lippincott Williams & Wilkins.

Torsney, P., Allard, C. M., White, R. et al. (2002). Politique pour le nouveau millénaire. Redéfinir ensemble la stratégie canadienne antidrogue. Rapport du Comité spécial sur la consommation non médicale de drogues ou médicaments. Ottawa, Chambre des Communes du Canada.

Walsh, J. M., DeGier, J. J., Christopherson, A.S., et al. (2004). "Drugs and driving". Traffic Injury Prevention, volume 5: pages 241-253.

Wu, W. K., et Cho, C. H., (2004). "The pharmacological actions of nicotine on the gastrointestinal tract". Journal of Pharmacological Sciences, volume 94: pages 348-350.

Zernig, G., Saria, A., Kurz, M., et O'Malley, S. S. (2000). Handbook of alcoholism. Boca Raton, CRC Press.

APPELS DE **NOTES**

1 Santé Canada (2003). Enquête de surveillance de l'usage du tabac au Canada (ESUTC). Ottawa, Santé Canada.

2 Daveluy, C., Pica, L., Audet, N., Courtemanche et R., Lapointe, F. (2000). Enquête sociale et de santé 1998. Québec, Institut de la statistique du Québec.

3 Statistique Canada (2002). Enquête sur la santé dans les collectivités canadiennes, Cycle 1.1 (2000-2001), Fichier de microdonnées à grande diffusion, CD n° 82M0013XCB.

4 Statistique Canada (2003). Enquête sur la santé dans les collectivités canadiennes, Santé mentale et bien-être 2002. Ottawa, Statistique Canada.

5 Pica, L. (2005). Consommation d'alcool et de drogues. Enquête québécoise sur le tabac, l'alcool, la drogue et le jeu chez les élèves du secondaire, 2004. Quoi de neuf depuis 2002 ? Québec, Institut de la statistique du Québec.

6 Guyon, L. et Desjardins, L. (2002). La consommation d'alcool et de drogues. L'alcool, les drogues et le jeu : les jeunes sont-ils preneurs ? Enquête québécoise sur le tabagisme chez les élèves du secondaire (2000). Québec, Institut de la statistique du Québec. vol. 2.

7 Perron, B., Loiselle, J. (2003). Alcool et drogues. Portrait de la situation en 2002 et principales comparaisons avec 2000. Enquête québécoise sur le tabagisme chez les élèves du secondaire 2002. Québec, Institut de la statistique du Québec.

8 Ministère de la Santé et des Services sociaux du Québec (2000). Rapport statistique AS481. Québec, MSSS.

9 Ministère de la Santé et des Services sociaux du Québec (2002). Fichier Med-Écho 2001-2002. Québec, MSSS.

10 Société de l'assurance automobile du Québec (2006). Dossier statistique, Bilan 2005: accidents, parc automobile et permis de conduire. Québec, Société de l'assurance automobile du Québec.

11 Tardif, F. (2003). Demande de données portant sur les infractions et les sanctions reliées à l'alcool 1992-2001. Québec, Société de l'assurance automobile du Québec.

12 Statistique Canada (2005). Crimes et infractions. Ottawa, Statistique Canada.

13 Institut national de santé publique du Québec (2003). État de la situation sur la consommation d'alcool au Québec et sur les pratiques commerciales de la Société des alcools du Québec : Perspectives de santé publique. Québec, Institut national de santé publique.

14 Institut national de santé publique du Québec (2005). Consommation d'alcool au Québec et pratiques commerciales de la Société des alcools du Québec. Québec, Institut national de santé publique.

15 Centre canadien de lutte contre l'alcoolisme et les toxicomanies (2005). Enquête sur les toxicomanies au Canada (ETC). Ottawa, CCLAT.

16 Gaulthier, M., Lapointe et R., Lebrun, M. C. (2004). Le milieu festif à Montréal. Montréal, Université du Québec à Montréal.

17 Roy, E., et al. (2003). L'hépatite C et les facteurs psychosociaux associés au passage à l'injection chez les jeunes de la rue. Montréal, Direction de la santé publique de Montréal-Centre.

18 Germain, M. et Vaugeois, P. (2005). Portrait statistique des auteurs présumés d'infractions relatives aux drogues et aux stupéfiants au Québec en 2003. Montréal, Comité permanent de lutte à la toxicomanie.

19 Bureau du coroner du Québec (2002). Les intoxications accidentelles montréalaises mortelles attribuables aux drogues selon les drogues identifiées à la toxicologie et selon l'année du décès. Québec, Bureau du coroner du Québec.

20 Gross, S. R., Barrett, S. P., Shestowsky et J. S., Pihl, R. O. (2002). "Ecstasy and drug consumption patterns : A Canadian rave population study". Canadian Journal of Psychiatry 47(6): 546-551.

21 Morissette, C. et Leclerc, P. (2004). Données de monitorage des programmes d'accès au matériel stérile d'injection de Montréal-Centre. Montréal, Direction de la santé publique.

22 Régie de l'assurance maladie du Québec (2001). Nombre d'ordonnances, leur coût brut et leur coût RAMQ selon les classes et les sous-classes de médicaments les plus fréquentes et la catégorie de personnes admissibles. Québec, RAMQ.

23 Régie de l'assurance maladie du Québec (2005). Nombre d'ordonnances, leur coût brut et leur coût RAMQ selon les classes et les sous-classes de médicaments les plus fréquentes et la catégorie de personnes admissibles. Québec, RAMQ.

24 Comité permanent de lutte à la toxicomanie (2004). Portrait de la consommation de psychotropes à Montréal. Montréal, CPLT.

25 Valois, P., Buist, A., Goulet, C., Côté, M. (2002). Étude de l'éthique, du dopage et de certaines habitudes de vie chez des sportifs québécois. Québec, Secrétariat au loisir et au sport.

26 Santé Canada (2005). Enquête de surveillance de l'usage du tabac au Canada. Ottawa, Santé Canada.

27 Santé Canada (2001). Enquête de surveillance de l'usage du tabac au Canada (ESUTC). Ottawa, Santé Canada.

28 Santé Canada (1997). Enquête canadienne de 1994 sur l'alcool et les autres drogues. Ottawa, Santé Canada.

29 Santé Canada (2004). Enquête de surveillance de l'usage du tabac au Canada. Ottawa, Santé Canada.

30 Dubé, G. (2005). Prévalence du tabagisme. Enquête québécoise sur le tabac, l'alcool, la drogue et le jeu chez les élèves du secondaire, 2004. Quoi de neuf depuis 2002 ? Québec, Institut de la statistique du Québec.

31 Statistique Canada (2003). Enquête sur la santé dans les collectivités canadiennes, cycle 2.1, fichier de partage, totalisations spéciales fournies par la Direction Santé Québec. Québec, Institut de la statistique du Québec.

CRÉDITS

ÉDITION FRANÇAISE

Ce livre est une adaptation de Drogues et dépendance qui a été réalisé par l'Institut national de prévention et d'éducation pour la santé (INPES) et la Mission interministérielle de lutte contre la drogue et la toxicomanie (MILDT).

Comité de rédaction

Catherine Bernard (Direction générale de la santé), Nadine Gautier (INPES), Didier Jayle (MILDT), France Lert (Inserm), Aude Moracchini (MILDT), Christophe Palle (Observatoire français des drogues et des toxicomanies).

Ont participé à la rédaction

Pierre-Yves Bello (OFDT), Judith Cytrynowicz (INPES), Olivier Delmer (INPES), Thérèse Fouques Duparc (MILDT), Ruth Gozlan (MILDT), Patrice Hoareau (MILDT), Jimmy Kempfer (Clinique Liberté), Nadège Larochette (Direction générale de la Santé), Dominique Martin (Direction générale de la Santé), Pascal Mélihan-Cheinin (Direction générale de la Santé), Olivier Middleton (MILDT), Jean-Pol Tassin (Inserm/Collège de France)

Coordination éditoriale et rédactionnelle

Nadine Gautier (INPES) et Aude Moracchini (MILDT)

Conception graphique et mise en page

Armelle & les crayons

Photos

Nadia Benchallal – Contact press images

Nous remercions le ministère de l'Intérieur pour les photos des produits.

Directeur de la publication

Philippe Lamoureux (INPES)

La première édition de ce livre (juillet 2000) avait été rédigée sous la responsabilité éditoriale de Nicole Maestracci et grâce au concours d'un comité scientifique et d'un comité de lecture : Pierre Arwidson, CFES • Philippe Batel, hôpital Beaujon-UTAMA • François Baudier, CNAMTS-DSP • Pierre Bressan, ministère de la Jeunesse et des Sports (DJEP) • Bernard Candiard, Service d'information du gouvernement (SIG) • Baptiste Cohen, Drogues Info Service • Katherine Cornier, Direction générale de la santé • Jean-Michel Coste, Observatoire français des drogues et des toxicomanies (OFDT) • Michel Damade, GRICA Bordeaux • Martine Giacometti, ministère de l'Éducation nationale (DESCO) • Olivier Guérin, Cour de cassation, Paris • Patrick Laure, CHU Nancy • Bernard Lebeau, hôpital Saint-Antoine • William Lowenstein, Centre de Monte-Cristo • Christophe Palle, Observatoire français des drogues et des toxicomanies (OFDT) • Philippe-Jean Parquet, CHRU Lille • Michel Reynaud, CMP CHU Clermont-Ferrand • Ariane Revol-Briard, Service d'information et de communication du ministère de l'Emploi et de la Solidarité (SICOM) • Thomas Rouault, Toxibase • Jean-Pol Tassin, U 114 INSERM Collège de France • Cabinet du secrétaire d'État à la Santé • L'ensemble des chargés de mission de la MILDT.

La coordination rédactionnelle et éditoriale de la première édition avait été assurée par Danielle Vasseur (CFES) et Patrick Chanson (MILDT), la rédaction par Agnès Mückensturm et Danielle Vasseur.

ÉDITION QUÉBÉCOISE

La troisième édition québécoise de ce livre a été réalisée par le Centre québécois de lutte aux dépendances (CQLD) avec le concours des personnes suivantes :

Direction éditoriale

Michel Germain, directeur général du CQLD
Rodrigue Paré, président du CQLD

Direction de la publication

Michel Germain

Responsable du volet pharmacologique

Mohamed Ben Amar, Université de Montréal

Responsable du volet épidémiologique

Pierre Vaugeois, CQLD

Comité de rédaction

Mohamed Ben Amar, Denis Boivin,
Michel Germain, Mélanie Jolin, Nancy Légaré,
Louis Léonard, Rodrigue Paré, Pierre Vaugeois

Soutien à la rédaction

Monic Bleau

Consultants

Maxime Brault et Sylvie Tremblay,
Société de l'assurance automobile du Québec

Photographies

Gendarmerie royale du Canada au Québec
(Service de sensibilisation aux drogues)
Santé Canada

Conception graphique

TRUCS Design

Ont collaboré à la première ou deuxième édition québécoise de ce livre :

Robert Baril, Mohamed Ben Amar, Jacques Bordeleau, Pierre Brisson, Alain Charest, Jean-François Cyr, Geneviève Gagneux, Michel Germain, Michaël Gillet, France Janelle, Mélanie Jolin, Nancy Légaré, Louis Léonard, Pierre Lescadre, Pierre Paquin, Rodrigue Paré, Pascal Schneeberger, John Topp